O poder da mulher que ora

O poder da mulher que ora

STORMIE OMARTIAN

Traduzido por Susana Klassen

NOVA EDIÇÃO

Copyright © 2002, 2014 por Stormie Omartian
Publicado originalmente por Harvest House Publishers, Eugene, Oregon, EUA.

Os textos bíblicos foram extraídos da *Nova Versão Transformadora* (NVT), da Tyndale House Foundation, salvo indicação específica.

Todos os direitos reservados e protegidos pela Lei 9.610, de 19/02/1998.

É expressamente proibida a reprodução total ou parcial deste livro, por quaisquer meios (eletrônicos, mecânicos, fotográficos, gravação e outros), sem prévia autorização, por escrito, da editora.

Edição
Daniel Faria

Revisão
Natália Custódio

Produção e diagramação
Felipe Marques

Colaboração
Ana Luiza Ferreira
Marina Timm
Ricardo Shoji

Capa
Pri Sathler
Rick Szuecs

CIP-Brasil. Catalogação na publicação
Sindicato Nacional dos Editores de Livros, RJ

O64p

Omartian, Stormie
  O poder da mulher que ora / Stormie Omartian ; tradução Susana Klassen. - [1. ed.] - São Paulo : Mundo Cristão, 2022.
  256 p.

  Nova edição.
  Tradução de: The power of a praying woman
  ISBN 978-65-5988-107-9

  1. Orações e devoções. 2. Mulheres - Vida religiosa. I. Klassen, Susana. II. Título.

22-77314   CDD: 242
                                           CDU: 27-583

Gabriela Faray Ferreira Lopes - Bibliotecária - CRB-7/6643

Categoria: Oração
1ª edição: junho de 2003
2ª edição: julho de 2022 | 6ª reimpressão: 2025

Publicado no Brasil com todos os direitos reservados por:
Editora Mundo Cristão
Rua Antônio Carlos Tacconi, 69
São Paulo, SP, Brasil
CEP 04810-020
Telefone: (11) 2127-4147
www.mundocristao.com.br

Este livro é dedicado a minhas irmãs em Cristo em todo o mundo que anseiam aprofundar seu relacionamento com o Senhor, alcançar tudo o que Deus tem para elas e tornar-se tudo o que ele as criou para serem.

Sumário

Agradecimentos especiais   9
O poder   11

1. Senhor, faze-me andar mais perto de ti   27
2. Senhor, purifica-me e faze meu coração reto diante de ti   38
3. Senhor, ajuda-me a ser uma pessoa que perdoa   47
4. Senhor, ensina-me a andar por teus caminhos em obediência   56
5. Senhor, fortalece-me para que eu possa enfrentar o inimigo   66
6. Senhor, mostra-me como assumir o controle de minha mente   73
7. Senhor, governa todas as áreas de minha vida   81
8. Senhor, aprofunda-me em tua Palavra   86
9. Senhor, instrui-me enquanto coloco minha vida em ordem   96
10. Senhor, prepara-me para ser uma verdadeira adoradora   105
11. Senhor, abençoa-me em meu trabalho   112
12. Senhor, planta-me para que eu possa dar fruto de teu Espírito   117
13. Senhor, preserva-me em pureza e santidade   125

14. Senhor, dirige-me ao propósito para o qual fui criada 133
15. Senhor, guia-me em todos os meus relacionamentos 142
16. Senhor, mantém-me no centro de tua vontade 152
17. Senhor, protege a mim e a tudo o que prezo 157
18. Senhor, dá-me sabedoria para tomar 162
decisões corretas
19. Senhor, livra-me de toda obra do mal 170
20. Senhor, liberta-me das emoções negativas 176
21. Senhor, consola-me em tempos difíceis 184
22. Senhor, capacita-me para que eu possa resistir 190
à tentação do pecado
23. Senhor, cura-me e ajuda-me a cuidar de meu corpo 198
24. Senhor, liberta-me do medo nocivo 205
25. Senhor, usa-me para tocar a vida de outros 212
26. Senhor, capacita-me para falar somente 218
palavras que vivificam
27. Senhor, transforma-me numa mulher com uma 226
fé que move montanhas
28. Senhor, transforma-me na semelhança de Cristo 231
29. Senhor, lembra-me de que tudo o que mais 238
necessito é de mais de ti
30. Senhor, retira-me de meu passado 243
31. Senhor, guia-me para o futuro que tu tens para mim 249

Agradecimentos especiais

- A Susan Martinez, por suas orações e trabalho árduo como minha secretária, assistente, companheira de oração e amiga.
- A meu marido, Michael, por seu amor, orações e jeito para cozinhar, especialmente quando estou tentando cumprir um prazo.
- A meus filhos, simplesmente por existirem.
- A minhas fiéis companheiras de oração: Suzy, Roz, Susan, Patti, Mandy, Paige, Jennifer e Jeralyn. Onde eu estaria não fosse meu precioso bando de guerreiras de oração?
- Aos pastores Jack Hayford, Rice Broocks, James Lowe, Tim Johnson, Ray McCollum, John Roher e Jim Laffoon, por suas orações vitais e palavras transformadoras.
- A minha família na Harvest House — Bob Hawkins Jr., LaRae Weikert, Kim Moore, Barb Sherrill, Terry Glaspey, Betty Fletcher, Carolyn McCready e Peggy Wright — por todo o seu incentivo e apoio.
- Aos milhares de mulheres que enviaram cartas, *e-mails* e outros meios de comunicação compartilhando comigo suas lutas, alegrias, anseios e desejos do coração.

Seja sobre nós a bondade do Senhor, nosso Deus;
faze prosperar nossos esforços,
sim, faze prosperar nossos esforços.
Salmos 90.17

O poder

Não importa sua idade, seu estado civil, em que condições estão seu corpo e sua alma ou há quanto tempo você é ou não é cristã — se você é uma mulher, este livro é para você. Sou uma seguidora devota do Senhor há mais de cinquenta anos e durante todo esse tempo não me afastei dele, mas ainda assim também preciso deste livro. Na verdade, eu o escrevi tanto para mim mesma quanto para você. Isso porque sou como você. Muitas vezes acho a vida difícil, em vez de fácil; complicada, em vez de simples; potencialmente perigosa, em vez de segura; e exaustiva, em vez de estimulante. Com frequência, é mais como um vento forte, quente e seco do que como uma brisa suave, fresca e revigorante.

No entanto, descobri que Deus pode aplainar meu caminho, acalmar as tempestades, manter em segurança aqueles que prezo e a mim mesma, bem como simplificar as coisas quando peço que ele carregue as complicações da vida para mim. Contudo, isso não acontece sozinho. Não acontece sem oração.

Em meio à vida agitada, muitas vezes não oramos o suficiente. Ou, então, oramos apenas pelas questões mais urgentes e deixamos de reservar tempo para nos aproximarmos verdadeiramente de Deus, conhecê-lo melhor e compartilhar com ele os anseios mais profundos de nosso coração. Em nossas orações a jato, passamos reto pela avenida por meio da qual ele traz bênçãos a nossa vida. E corremos o risco de acordar um dia com aquele sentimento de vazio e insegurança no fundo do estômago, amedrontando-nos com a ideia de que nossos alicerces podem estar se transformando em areia e nossa armadura tornando-se frágil como uma casca de ovo. Foi o que aconteceu comigo.

Há alguns anos, eu estava tão ocupada trabalhando, cuidando de adolescentes, tentando ser uma boa esposa, administrando a casa, escrevendo livros e viajando para promovê-los, participando de todas as reuniões da igreja, ajudando pessoas necessitadas e procurando fazer todo mundo feliz, que acabei deixando de lado a coisa mais importante: um relacionamento íntimo com Deus. Não que eu tivesse parado de me relacionar com ele. Pelo contrário, não conseguiria chegar ao fim do dia sem ele. Não que eu tivesse parado de orar. Na verdade, estava orando mais do que antes por todas as outras pessoas do planeta. No entanto, não orava por meu próprio relacionamento com ele. Não que eu tivesse deixado de ler sua Palavra. Lia durante horas, pesquisando as Escrituras para diferentes projetos nos quais trabalhava e para os estudos bíblicos em que participava. No entanto, não dedicava tempo para Deus a fim de que ele falasse comigo de modo pessoal por meio da Bíblia. Estava ocupada fazendo o que era bom e havia deixado de fazer o que era melhor. Sem que me desse conta, havia me transformado em Marta, em vez de Maria (Lc 10.38-42).

Não reservava tempo suficiente para estar a sós com Deus, e como consequência fiquei tão fragilizada que não conseguia prosseguir. Sentia-me como uma casca de ovo, como se pudesse ser esmigalhada com uma pressão mínima. Sabia que precisava ter mais de Deus em minha vida, e nada neste mundo poderia ser mais importante do que isso. Não havia nenhuma outra coisa que seria capaz de saciar minha fome, a não ser a presença dele. Percebi como era importante para mim guardar e proteger meu relacionamento pessoal com Deus em oração.

A maneira de evitar esse tipo de experiência pela qual passei é orar sobre todos os aspectos de nossa vida, de tal modo que isso nos mantenha espiritualmente ancoradas e nos lembre sempre de quais são as promessas de Deus para nós. Essa prática nos manterá concentradas em quem Deus é e em quem ele nos criou para ser, e nos ajudará a viver do jeito de Deus e não do nosso. Elevará nosso olhar do temporal para o eterno, nos mostrará o que é de fato importante e nos dará a capacidade de distinguir a verdade da mentira. Fortalecerá nossa fé, nos dará coragem para crer no impossível e nos capacitará para que nos tornemos a mulher que ansiamos ser e acreditamos que *podemos* ser. Qual de nós não precisa disso?

Em meus livros anteriores sobre a oração, compartilhei as maneiras como maridos e esposas podem orar por seu cônjuge, como pais podem orar por seus filhos e como as pessoas podem orar por sua nação. Neste livro, quero compartilhar como *você* poder orar por *VOCÊ*. Quero ajudá-la a aproximar-se de seu Pai celestial, a sentir os braços dele ao seu redor, a manter um coração reto diante dele, a viver na confiança de saber que está dentro da vontade dele, a descobrir de modo mais completo quem ele a criou para ser, a encontrar a plenitude e totalidade nele, a alcançar aquilo que ele tem para você. Em outras palavras, quero mostrar-lhe como abranger com eficácia toda a sua vida em oração, de modo que você possa ter mais de Deus em sua vida.

Por que é tão difícil orar por mim mesma?

Você acha mais fácil orar pelos outros do que por você mesma? Sei que esse é meu caso. Posso orar por meu marido, meus filhos, outros familiares, conhecidos, amigos e pessoas que nem conheço e sobre as quais ouço falar no noticiário com muito maior facilidade do que consigo orar por minhas necessidades. Isso porque identifico as necessidades deles com facilidade. As minhas são numerosas, por vezes complicadas, com frequência difíceis de determinar e certamente não são fáceis de categorizar. Nós, mulheres, sabemos do que *achamos* precisar a maior parte do tempo. Somos capazes de reconhecer o óbvio. No entanto, muitas vezes estamos emocionalmente envolvidas demais com as pessoas ao nosso redor e com nossa vida diária para sermos capazes de descobrir como deveríamos estar orando por nós mesmas além das necessidades imediatas e urgentes. Algumas vezes somos tão dominadas pelas circunstâncias que nossa oração não passa de um pedido básico de socorro.

Há momentos em que sua vida parece estar fora de controle? Você se sente pressionada, como se os dias estivessem tão ocupados que temesse estar perdendo qualidade de vida por causa disso? Pensa que está deixando de lado uma ou mais áreas de sua vida por estar tentando desempenhar uma porção de papéis e preencher muitas expectativas? Eu também já passei por isso.

Você já sentiu como se sua vida estivesse encalhada e você não conseguisse ir a parte alguma? Ou, pior ainda, como se estivesse andando para trás? Já houve momentos em que perdeu a perspectiva do futuro? Ou será que nunca a teve? Já se perguntou se pode, de fato, alcançar o propósito pleno e o destino que Deus tem para você? Já teve sentimentos de vazio, frustração ou insatisfação? Eu também já senti todas essas coisas.

Você deseja uma percepção maior da presença do Senhor em sua vida? Quer conhecer a Deus de modo mais profundo? Deseja servi-lo de uma forma melhor e mais completa, mas sente que não tem tempo, energia ou oportunidade de fazê--lo? Precisa passar mais tempo com ele em oração? Quer que suas orações sejam acompanhadas de maior fé para que possa ver maiores respostas a elas? Precisa de conhecimento e entendimento mais completos da Palavra de Deus? Anseia por abrir seus braços e abraçar Jesus, de túnica branca e tudo mais, e senti-lo abraçando você de volta? Eu também.

A boa notícia é que esse é o modo como Deus *quer* que você se sinta.

Deus deseja que almejemos *sua* presença. Ele deseja que você encontre sua realização *nele* e em mais nada. Ele deseja que você caminhe perto *dele*. Deseja que você cresça em fé e conhecimento da Palavra *dele*. Deseja que você coloque todas as suas esperanças e sonhos nas mãos *dele* e confie que ele suprirá todas as suas necessidades. Quando você o fizer, *ele* abrirá o depósito de bênçãos em sua vida. Isso porque tais coisas são a vontade *dele* para você.

No entanto, nada disso acontece sem oração.

Aonde irei para que minhas necessidades sejam supridas?

Toda mulher tem necessidades. Muitas de nós, porém, sentem-se culpadas por tentar supri-las por meio de outras pessoas — especialmente dos homens de nossa vida. Com muita frequência, esperamos que *eles* supram as necessidades que só *Deus* pode preencher. Então, ficamos decepcionadas quando eles não conseguem fazê-lo. Esperamos demais *deles* quando deveríamos colocar nossas expectativas em *Deus*.

Minha amiga Lisa Bevere expressou isso muito bem quando disse que há séculos as mulheres têm "batalhado e lutado com os filhos de Adão numa tentativa de conseguir que eles nos abençoem e afirmem nosso valor. No entanto, essa luta nos deixa, no mínimo, frustradas [...]. No final, não passa de um processo exaustivo e sem sentido no qual ambas as partes saem perdendo. A culpa não é dos filhos de Adão; eles não podem nos dar as bênçãos que buscamos, e nós os assustamos ao conceder-lhes tanto poder sobre nossa alma. Devemos aprender que as bênçãos das quais realmente precisamos vêm somente de Deus".*

Não seremos felizes até que façamos de Deus a fonte de nossa realização e a resposta a nossos anseios. Ele é o *único* que deve ter poder sobre nossa alma.

Precisamos colocar nossas expectativas sobre o Senhor e não sobre outras coisas ou pessoas. Sei que é mais fácil dizer do que fazer. Assim, comecemos pela parte fácil. Vamos dizer a Deus: "Senhor, busco em ti tudo de que preciso em minha vida. Ajuda-me a colocar todas as minhas expectativas sobre ti". Sempre que você se decepcionar porque suas necessidades não estão sendo supridas, converse consigo mesma e diga: "Que minha alma espere em silêncio diante de Deus, pois nele está minha esperança" (Sl 62.5). Então, conte para Deus todas as suas necessidades e tudo que está em seu

---

*Lisa Bevere, *Kissed the Girls and Made Them Cry* (Nashville: Tommy Nelson, 2002), p. 189-190.

coração. Não se preocupe. Ele não vai ficar surpreso ou chocado. Ele já sabe. Só quer ouvir você dizer.

Mais do que apenas uma sobrevivente

Se você é como eu, não quer viver o tipo de vida em que mal consegue se aguentar. Não quer simplesmente sobreviver a qualquer custo, encontrar uma forma de lidar com seu estado deplorável ou só ir levando. Você deseja ter a vida abundante da qual Jesus falou quando disse: "Eu vim para lhes dar vida, uma vida plena, que satisfaz" (Jo 10.10).

Não queremos ser mulheres que ouvem a verdade mas que raras vezes tomam uma atitude pela fé para aplicá-la a sua vida. Não queremos lutar para sempre com a dúvida, o medo, a insegurança e a incerteza. Queremos viver a vida *de* propósito e com propósito. Achamos tedioso viver como bebês, tomando só leite. Queremos o alimento sólido da verdade de Deus para que possamos crescer e ter uma vida empolgante e produtiva.

Nenhuma de nós gosta de andar em círculos, passando sempre pelo mesmo território e voltando para os mesmos problemas, as mesmas frustrações, os mesmos erros e as mesmas limitações. Não queremos nos tornar calejadas, endurecidas de coração, amargas, implacáveis, ansiosas, impacientes, desesperadas e indóceis. Não queremos acabar tendo uma atitude negativa que diz: "Minha situação jamais *será* diferente, pois não tem *sido* diferente há muito tempo". Queremos romper qualquer círculo vicioso de derrotismo, de padrões de comportamento e hábitos e ser capazes de ir além de nós mesmas, de nossas limitações e condições. Queremos ser mais do que apenas uma sobrevivente.

Queremos ser vencedoras. Queremos fazer parte de algo maior do que nós. Queremos estar ligadas àquilo que Deus está fazendo aqui na terra de forma a dar frutos para seu reino. Queremos a abundância de amor e de bênçãos de Deus. Queremos o pacote completo. Tudo o que Deus tem para nós. No entanto, jamais seremos capazes de alcançar essa qualidade de vida fora do poder de Deus, e só a conseguiremos se orarmos.

Como posso agir pelo poder de Deus?

Todas nós já passamos por momentos em que nos sentimos completamente impotentes diante das circunstâncias. Já mostramos a nós mesmas, vezes sem fim, que não temos o que é preciso para conseguir qualquer transformação permanente em nossa vida. Sabemos sem sombra de dúvida que nossos maiores esforços para mudar quem somos ou as circunstâncias de modo significativo ou duradouro nunca funcionam. Reconhecemos nossa necessidade de um poder exterior e muito maior que nós. Contudo, há somente um único poder no mundo que é grande o suficiente para nos ajudar a nos superar e superar as dificuldades que enfrentamos: o poder de Deus.

Sem o poder de Deus, não somos capazes de superar nossas limitações ou sair de nossa rotina interminável. Não somos capazes de resistir com firmeza a tudo o que se opõe a nós. Estamos condenadas a uma vida de mediocridade espiritual. Sem o poder do Espírito Santo de Deus operando em nós, não podemos ser libertadas de todas as coisas que nos impedem de alcançar tudo o que Deus tem para nós.

Não queremos passar a vida esperando para ser resgatadas de tudo o que nos limita e que nos separa do que há de melhor em Deus. Queremos ser libertadas *agora*. Mas isso não pode acontecer se nos recusarmos a reconhecer o poder do Espírito Santo. Quando negamos os atributos do Espírito Santo, nos tornamos como aquelas pessoas das quais a Bíblia fala, que são "religiosas apenas na aparência", mas rejeitam "o poder capaz de lhes dar a verdadeira devoção" (2Tm 3.5). Transformamo-nos em cristãs profissionais que falam em "crentês", com um verniz de superficialidade que nos torna intocáveis e intocadas. Somos só fachada sem conteúdo. Só perfeição sem nenhum amor. Só julgamento sem misericórdia. Só autoconfiança sem nenhuma humildade. Só palavras e nenhuma lágrima. Só vida sem poder e sem sentido e nenhuma esperança de verdadeira transformação. E, sem transformação, como podemos algum dia ultrapassar nossas limitações e ser instrumentos de Deus para alcançar o mundo ao nosso redor? E é isso que significa viver de verdade.

Deus deseja que compreendamos "a grandeza insuperável do poder de Deus para conosco, os que cremos " (Ef 1.19). Ele deseja que conheçamos esse poder que ressuscitou Jesus "dos mortos e o fez sentar-se no lugar de honra, à direita de Deus, nos domínios celestiais. Agora ele está muito acima de qualquer governante, autoridade, poder, líder ou qualquer outro nome não apenas neste mundo, mas também no futuro" (Ef 1.20-21). Ele deseja que compreendamos que Jesus não é fraco para conosco, mas sim, poderoso *em* nós (2Co 13.3). Ele deseja que compreendamos que, "embora ele tenha sido crucificado em fraqueza, agora vive pelo poder de Deus", e mesmo que nós também sejamos fracas, vivemos igualmente pelo poder de Deus (2Co 13.4). Deus deseja que entendamos que "nós recebemos o Espírito de Deus, e não o espírito deste mundo, para que conheçamos as coisas maravilhosas que Deus nos tem dado gratuitamente" (1Co 2.12).

Não posso fazê-la ver nem levá-la a compreender o poder de Deus ou a maneira como o Espírito Santo deseja trabalhar em você. Está além de minhas capacidades e autoridade em sua vida. No entanto, você não precisa de mim para convencê-la, pois o próprio Espírito Santo o fará. Jesus disse: "Mas quando o Pai enviar o Encorajador, o Espírito Santo, como meu representante, ele lhes ensinará todas as coisas e os fará lembrar tudo que eu lhes disse" (Jo 14.26). Antes de tudo, porém, você precisa reconhecer o Espírito Santo e convidá-lo a mover-se livremente em você.

Só podemos agir pelo poder do Espírito de Deus se antes tivermos recebido Jesus como Salvador. Você precisa conhecer "esse amor, ainda que seja grande demais para ser inteiramente compreendido", e então você será preenchida "com toda a plenitude de vida e poder que vêm de Deus" (Ef 3.19). Quando você tiver Jesus como rei de sua vida, virá a conhecê-lo como aquele "que, por seu grandioso poder que atua em nós, é capaz de realizar infinitamente mais do que poderíamos pedir ou imaginar" (Ef 3.20). Pelo fato de o Espírito Santo estar em nós — ou seu *poder* estar em nós — ele pode fazer mais em nossa vida do que somos capazes de pensar em pedir. Isso não é fantástico?

Estar cheia do Espírito Santo não é algo que acontece contra nossa vontade. É algo para o que precisamos estar abertas, algo que precisamos desejar, algo que precisamos pedir. "Portanto, se vocês que são pecadores sabem como dar bons presentes a seus filhos, quanto mais seu Pai no céu dará o Espírito Santo aos que lhe pedirem!" (Lc 11.13). Podemos escolher se seremos enchidas pelo Espírito Santo ou não. Precisamos pedir a Deus que o faça.

Não vou entrar nas várias doutrinas sobre o Espírito Santo de Deus. Parece que há tantas doutrinas quanto há denominações. Tudo o que estou pedindo é que você reconheça o Espírito Santo de Deus como o *poder* de Deus e que Deus a encherá com seu Santo Espírito a fim de que ele possa dar-lhe poder para alcançar tudo o que ele tem para você. A Bíblia diz: "Sejam cheios do Espírito" (Ef 5.18). A vida corre melhor quando fazemos o que a Bíblia diz.

O poder de tornar-se tudo o que Deus a criou para ser

Hoje, cada vez mais mulheres cristãs estão recebendo a oportunidade de tornar-se tudo o que foram criadas para ser. Estão dirigindo-se a diferentes áreas de trabalho e ministério e causando impacto na vida daqueles que Deus coloca em sua esfera de influência. Estão aprendendo a confiar no poder de Deus para prepará-las e abrir as portas. Também estão se dando conta de que não são apenas um elemento secundário na ordem de criação de Deus, mas sim que foram criadas com um propósito especial. Podem não saber exatamente qual é esse propósito ou todas as suas implicações, mas sabem que é fazer o bem aos outros e glorificar a Deus.

Um motivo importante pelo qual as mulheres estão alcançando a plenitude do que Deus tem para elas é o fato de os homens estarem assumindo sua autoridade e liderança espiritual. Essa é uma resposta às orações de inúmeras mulheres e algo pelo que devemos louvar a Deus. As mulheres precisam de cobertura espiritual. Quando ela é feita corretamente — com força, humildade, bondade, respeito e entendimento — e não com abuso, arrogância, egocentrismo, crueldade, aspereza ou desamor, torna-se um lugar de segurança para a mulher. Estar dentro da ordem correta em nossa vida é algo a ser almejado.

A Bíblia diz que "a mulher deve cobrir a cabeça, para mostrar que está debaixo de autoridade" (1Co 11.10). Isso significa autoridade espiritual e é muito importante. *Todos* devem se submeter à autoridade divinamente apontada. Faz parte da ordem de Deus. Ele não derramará sobre nossa vida tudo o que tem para nós até que estejamos em um relacionamento certo com as devidas figuras de autoridade que Deus colocou sobre nossa vida. Elas estão lá para nossa proteção e benefício. O poder de Deus é precioso e poderoso demais para ser liberado numa alma insubmissa. (Não devemos nos *preocupar* com isso, mas sim *orar* sobre isso. Veja o Capítulo 9.)

As promessas de Deus para você

Muitas vezes, nem chegamos perto do que Deus tem para nós, pois não entendemos *o que* ele tem para nós. Pode ser que saibamos que ele deu muitas promessas para nossa vida, mas se não sabemos *exatamente* quais são, não podemos ter uma visão clara de nossa situação. "Deus, com seu poder divino, nos concede tudo de que necessitamos para uma vida de devoção, pelo conhecimento completo daquele que nos chamou para si por meio de sua glória e excelência. E, por causa de sua glória e excelência, ele nos deu grandes e preciosas promessas. São elas que permitem a vocês participar da natureza divina e escapar da corrupção do mundo causada pelos desejos humanos" (2Pe 1.3-4).

Precisamos conhecer essas promessas bem para tê-las sempre na mente e no coração. Na verdade, quanto *mais fundo* estiverem gravadas em nossa alma, melhor será para nós. Isso porque o inimigo de nossa alma tentará roubá-las de nós. Ele não deseja que saibamos a verdade sobre nós mesmas. Assim, devemos nos apegar a essas promessas com todas as nossas forças. Devemos nos agarrar a elas com unhas e dentes e recusar abrir mão delas.

Por esse motivo, no final de cada capítulo deste livro, há uma seção chamada "As promessas de Deus para mim". Nela, encontram-se relacionadas promessas importantes da Palavra de Deus que se aplicam ao assunto em questão. Quero que você as declare em voz alta diante de todos os obstáculos a fim de apagar qualquer dúvida sobre essas verdades inestimáveis para nossa vida. Ao ler cada uma delas, identifique o que a promessa de Deus naquele trecho bíblico em particular significa especificamente para você e sua vida. Em alguns casos, identifique qual é a promessa que se encontra *implícita* nesse trecho. Veja, por exemplo, o versículo: "Vigiem e orem para que não cedam à tentação, pois o espírito está disposto, mas a carne é fraca" (Mt 26.41). A promessa implícita aqui é de que, se você vigiar e orar, não cairá em tentação.

Embora a maior parte das promessas de Deus seja agradável e positiva, algumas não o são, pois consistem em advertências para nós. É como dizer a uma criança: "Se você fizer *isto*, haverá uma recompensa. Mas se você fizer *aquilo*, eu *prometo* que haverá consequências desagradáveis". Pelo fato de Deus cumprir *todas* as suas promessas, é importante conhecê-las bem.

Hora de ir em frente

Apesar de muitas vezes parecer este o caso, não há nenhuma época sequer de sua vida em que *nada* esteja acontecendo. Isso porque, quer você perceba, quer não, você nunca está parada. Ou está indo para a frente ou está escorregando para trás. Ou está se tornando *mais* parecida com Cristo a cada dia ou está cada vez *menos* parecida com ele. Não existe uma posição neutra no Senhor. É justamente por isso que escrevi este livro. Quero que você ande para a frente. Não quero que despertemos um dia e nos demos conta de que nunca lançamos bons alicerces nas coisas de Deus ou que não protegemos os alicerces que tínhamos com orações. Quero que andemos para a frente ao passar tempo precioso todos os dias com aquele que ama nossa alma. Quero que tenhamos *paixão* por Deus. Quero que descubramos o que devemos fazer e, então, coloquemos mãos à obra. Não se trata de conseguir coisas *de* Deus, apesar de ele ter muitas coisas que deseja nos dar. Trata-se de estar *em* Deus e permitir que ele esteja em *nós*. Trata-se de deixar que *ele* nos torne completas.

Quando vivemos dessa forma, de acordo com a Palavra de Deus e pelo poder de seu Espírito Santo, então podemos confiar que estamos no lugar certo e na hora certa e que o Senhor está trabalhando para aperfeiçoar sua vontade em nossa vida. Podemos confiar que ele está nos levando à vida de plenitude e bênçãos que tem para nós. Então, vamos lá?

– Minha oração a Deus –

Senhor, tu disseste em tua Palavra que quem crer em ti terá rios de água viva fluindo de seu coração (Jo 7.38). Creio em ti e anseio por tua água viva fluindo em mim e por meu intermédio hoje e todos os dias de minha vida. Convido teu Espírito Santo para me encher novamente neste instante. Assim como a primavera se renova constantemente com água fresca de modo que permanece pura, peço-te que tu me renoves da mesma forma no dia de hoje.

Tua Palavra diz que "o Espírito nos ajuda em nossa fraqueza, pois não sabemos orar segundo a vontade de Deus, mas o próprio Espírito intercede por nós com gemidos que não podem ser expressos em palavras" (Rm 8.26). Senhor, estou ciente de que não sei orar como preciso, nem com a frequência que desejo, mas convido-te, Espírito Santo, a orar por meu intermédio. Ajuda-me em minha fraqueza. Ensina-me as coisas que não sei sobre ti.

Tenho uma consciência intensa do quanto preciso de teu poder para transformar-me e às minhas circunstâncias. Não quero viver uma vida ineficaz. Quero viver no poder dinâmico de teu Espírito. Não quero uma vida espiritual de segunda categoria. Quero ser vitoriosa. Tu pagaste o preço para que eu fosse tua. Ajuda-me a viver de acordo com isso. Tu traçaste um rumo para minha vida, a fim de que eu pudesse ser moldada por ti. Ajuda-me a agir de acordo com isso. Tu possibilitaste que eu derrotasse meu inimigo. Ajuda-me a não me esquecer disso. Tu enviaste o Espírito Santo para que eu pudesse viver em poder. Ajuda-me a cumprir essa promessa. Tu deste tua vida por mim porque me amaste. Ajuda-me a fazer o mesmo por ti.

Coloco todas as minhas expectativas sobre ti, Senhor. Arrependo-me das vezes que esperei que outras pessoas ou coisas suprissem minhas necessidades quando deveria ter me voltado para ti. Sei que tu és o único que pode tornar-me plena, pois és tudo de que preciso. Tudo o que sempre desejei em minha vida pode ser encontrado em ti. Ajuda-me a lembrar-me de não viver por minhas próprias forças, mas pelo poder de teu Espírito que habita em mim. Perdoa-me pelas vezes que me esqueci de fazê-lo. Capacita-me para que possa crescer nas coisas de teu reino a fim de que me torne uma filha tua completa, devidamente ativa, contribuinte e produtiva, indo em frente e alcançando teu propósito para minha vida.

– As promessas de Deus para mim –

Agora nós mesmos somos como vasos frágeis de barro que contêm esse grande tesouro. Assim, fica evidente que esse grande poder vem de Deus, e não de nós.
2Coríntios 4.7

A mensagem da cruz é loucura para os que se encaminham para a destruição, mas para nós que estamos sendo salvos ela é o poder de Deus.
1Coríntios 1.18

Minha graça é tudo de que você precisa. Meu poder opera melhor na fraqueza.
2Coríntios 12:9

Deus nos ressuscitará dos mortos por seu poder, assim como ressuscitou o Senhor.
1Coríntios 6.14

Eu enviarei a vocês o Encorajador, o Espírito da verdade. Ele virá do Pai e testemunhará a meu respeito.
João 15.26

1
Senhor, faze-me andar mais perto de ti

Antes de vir a conhecer o Senhor, eu estava envolvida em todo tipo de ocultismo, religiões orientais e da Nova Era. Buscava a Deus em cada uma delas na esperança de encontrar algum sentido ou propósito para minha vida. Estava desesperada para encontrar uma saída para a dor emocional, o medo e a depressão que sentia diariamente desde a infância. Pensava que certamente havia um Deus e, se eu conseguisse ser boa o suficiente para me aproximar dele, talvez algo de sua grandeza passasse para mim, e então eu me sentiria melhor comigo mesma e com a vida.

É claro que jamais consegui fazer isso, pois os deuses que eu procurava eram distantes, frios e alheios a mim. Isso me deixava ainda mais deprimida, pois fui criada por uma mãe que era distante, fria e alheia a mim, sem contar que era também abusiva, assustadora e cruel. Mais tarde, foi diagnosticado que ela sofria de uma doença mental e, de lá para cá, eu já a perdoei por tudo o que passei em suas mãos. Ainda assim, as memórias de minha infância acumularam-se e, numa avalanche de dor, desabaram sobre mim de modo tão insuportável que acabei sendo sufocada por minha própria aflição e esmagada por um desespero suicida.

Mas foi ali, no ponto mais baixo de minha vida, quando estava com 28 anos de idade, que descobri quem é Deus verdadeiramente e recebi Jesus como meu Salvador. Essa decisão deu início a um processo de libertação, cura e restauração que jamais imaginei ser possível.

Quando recebi o Senhor e comecei a sentir sua vida operando *dentro* de mim, pude ver qual era o elemento comum de todas as *outras* religiões e práticas com as quais havia me envolvido. Essa semelhança era que os deuses de cada uma daquelas religiões não tinham poder de salvar ou transformar uma vida humana. No entanto, o Deus da *Bíblia* podia. *Ele* é o único Deus vivo e verdadeiro. Quando nós *o* encontramos e *o* recebemos, seu Espírito vem habitar *dentro* de nós. Pelo poder de seu Espírito, ele nos transforma de dentro para fora e muda miraculosamente nossas circunstâncias e nossa vida.

Também descobri que ele é um Deus que pode ser encontrado. Um Deus que pode ser conhecido. Um Deus que deseja estar perto de nós. Por isso ele se chamou Emanuel, que significa "Deus *conosco*". No entanto, ele se achega a *nós* à medida que nos achegamos a *ele* (Tg 4.8).

Se eu pudesse me sentar para conversar com você sobre sua vida, eu lhe diria que, se você recebeu o Senhor, a resposta para aquilo de que precisa está dentro de você. Isso porque o Espírito Santo de Deus está dentro de você, e ele a conduzirá em todas as coisas e lhe ensinará tudo que você precisa saber. Ele transformará você e suas circunstâncias para além de seus sonhos mais fantásticos, se você desistir de tentar fazê-lo sozinha e deixar que *ele* o faça do jeito *dele* e no tempo *dele*.

Não se trata de lutar para ser boa o suficiente a fim de aproximar-se de Deus, pois não há como qualquer um de nós conseguir isso. É uma questão de deixar que toda a bondade de Deus esteja *dentro* de você. Trata-se de se aproximar de Deus e senti-lo aproximando-se de você. Trata-se de um relacionamento íntimo com Deus e da plenitude que será operada em você como consequência.

Sei o que você quer

Passei quatro anos viajando por todos os Estados Unidos falando a grupos de mulheres. Em quase todos os lugares aonde fui durante esse tempo, fiz uma pesquisa para um livro que estava escrevendo chamado *O poder do marido que ora*. Desejava saber de que maneira as mulheres mais queriam que orassem por elas. Suas respostas não foram surpreendentes, mas o fato de serem unânimes em todas as cidades e estados foi incrível. A primeira necessidade pessoal de todas as mulheres pesquisadas era crescer espiritualmente e ter um relacionamento profundo, forte, vital, transformador, cheio de fé com Deus. A certa altura, parei de fazer a pesquisa, pois os resultados eram sempre os mesmos. Havia captado a mensagem!

Estou certa de que você, como eu e muitas outras mulheres, deseja um relacionamento profundo, íntimo e amoroso com Deus. Você não estaria lendo este livro se esse não fosse o caso. Você anseia pela proximidade, a ligação, a afirmação de que você é boa e desejável. No entanto, Deus é o único que pode lhe dar tudo isso o tempo todo. Suas necessidades e anseios mais profundos só serão preenchidos em um relacionamento íntimo com ele. Nenhuma pessoa chegará mais fundo em seu ser do que Deus. Ninguém jamais virá a conhecê-la tão bem ou amá-la tanto quanto ele. *Esse anseio insaciável que você sente, o vazio que deseja que aqueles ao seu redor preencham, foi colocado em você por Deus para que ele possa preenchê-lo.*

Deus deseja que ansiemos por ele. E quando nos damos conta de que é a ele que queremos, nos tornamos livres. Somos livres para identificar os anseios, a solidão e o vazio dentro de nós como um sinal de que precisamos nos achegar a Deus com braços abertos e pedir que ele nos preencha com mais dele. No entanto, esse relacionamento profundo e íntimo com Deus que todas nós desejamos, sem o qual não podemos viver, não acontece por acaso. É preciso buscá-lo, orar por ele, alimentá-lo e cuidar dele como um tesouro. Tudo isso deve ser feito *continuamente*.

Cinco maneiras eficazes de saber se seu relacionamento com Deus é superficial

1. *Se você segue o Senhor só por aquilo que ele pode fazer por você*, então seu relacionamento com ele é superficial. Se você o ama o suficiente para perguntar-lhe o que você pode fazer por ele, então seu relacionamento está se aprofundando.

2. *Se você só fala com Deus quando as coisas estão difíceis ou quando precisa de algo*, então seu relacionamento com ele é superficial. Se você se pega indo até ele em oração várias vezes por dia simplesmente porque ama estar na presença dele, então seu relacionamento está se aprofundando.

3. *Se você fica zangada ou decepcionada com Deus quando ele não faz o que você quer*, então seu relacionamento com ele é superficial. Se você é capaz de louvar a Deus independentemente do que esteja acontecendo em sua vida, então seu relacionamento com ele está se aprofundando.

4. *Se você ama a Deus só por causa daquilo que ele faz*, então seu relacionamento com ele é superficial. Se você o ama e o teme por quem ele *é*, então seu relacionamento com ele está se aprofundando.

5. *Se você acha que precisa implorar a Deus ou convencê-lo a responder a suas orações*, então seu relacionamento com ele

é superficial. Se você acredita que Deus deseja responder às orações que você faz de acordo com a vontade dele, então seu relacionamento com ele está se aprofundando.

Um tempo sozinha com ele

É impossível nos achegarmos a Deus e conhecê-lo bem ou desenvolver o tipo de relacionamento que desejamos, se não passarmos um tempo sozinhas com ele. É nesses momentos particulares que somos renovadas, fortalecidas e revigoradas. É nesses momentos que conseguimos ver nossa vida da perspectiva de Deus e descobrir o que é verdadeiramente importante. É nessas ocasiões que compreendemos a quem pertencemos e em quem cremos.

Deus tem muita coisa para falar a nosso coração. Contudo, se você não se distanciar da agitação de seu dia e passar um tempo sozinha com ele em quietude e solitude, você não o ouvirá. O próprio Jesus passou um bom tempo sozinho com Deus. Se havia alguém que podia dar um jeito de não fazer isso, certamente era ele. Quanto esse tempo deve ser ainda mais importante para nós?

Sei que reservar um tempo para orar a sós pode ser difícil. Especialmente quando o inimigo de nossa alma não deseja que você consiga. Mas, se você fizer disso uma prioridade, reservando um horário específico para orar diariamente, talvez anotá-lo em sua agenda como faz com qualquer outro compromisso importante, e tiver a determinação de cumprir esse compromisso com Deus, verá suas orações receberem resposta como nunca.

Lembre-se de que, se você não tem orado muito, não pode esperar que as coisas mudem de uma hora para a outra. Leva algum tempo para conseguir que o enorme transatlântico que é sua vida faça a volta e tome outro rumo. Ele não muda imediatamente de posição no momento em que você começa a virar o leme de direção. Na verdade, é possível que a princípio você não veja praticamente nenhuma mudança. O mesmo acontece com a oração. A oração pode fazer sua vida mudar totalmente de rumo, mas isso não acontece sempre no momento em que você diz suas primeiras palavras. Pode levar algum tempo de oração contínua até que, de fato, você comece a observar uma mudança de cenário. Isso é normal, portanto não desista. Logo você estará a pleno vapor numa nova direção. Muitas vezes as pessoas desistem pouco antes de conseguirem ver o novo horizonte de orações respondidas. Lembre-se de que essa viagem não é apenas uma voltinha ao redor da baía, é um cruzeiro para toda a vida rumo a seu destino. Desistir não é uma opção.

Atribuindo os devidos nomes

Você às vezes tem dificuldade de se lembrar de nomes? Eu tenho. Especialmente quando encontro muitas pessoas ao mesmo tempo. Posso me lembrar dos nomes e dos rostos em separado, mas nem sempre junto os dois corretamente. E isso pode me complicar. Com Deus, a situação é outra. Ele tem apenas um rosto, mas muitos, muitos nomes. No entanto, se não conhecemos todos os seus nomes, pode ser que não compreendamos todos os aspectos de seu caráter.

Deus tem literalmente centenas de nomes. Algumas vezes, porém, parece que encontramos dificuldade em lembrar de alguns fundamentais. Pode ser que nos esqueçamos de um, exatamente quando precisamos lembrá-lo. Por exemplo, pode ser que pensemos em Deus como nosso *Pai* celestial, mas nos esqueçamos de que ele é nosso *Marido* e *Amigo*. Ou talvez nos lembremos dele como *Consolador*, mas nos esqueçamos de que é nosso *Libertador*. Pode ser que pensemos nele como nosso *Protetor*, mas não nos lembremos de que ele é *Médico dos Médicos*. Algumas pessoas não pensam que Deus é mais do que seu Salvador, o que em si é mais do que merecemos. No entanto, Deus quer ser ainda mais do que isso para nós. Ele deseja que conheçamos todos os aspectos de seu caráter, pois a maneira como identificamos Deus afetará o modo como vivemos a vida.

Cada um dos nomes de Deus na Bíblia representa uma das formas com que ele deseja que confiemos nele. Você confia que ele é sua *Força* (Sl 18.1)? Sua *Paz* (Ef 2.14)? Seu *Purificador* (Ml 3.2-3)? Sua *Sabedoria* (1Co 1.24)? Seu *Guia* (Sl 16.7)? Seu *Lugar de descanso* (Jr 50.6-7)? Cada um dos nomes dele é sagrado, e é dessa forma que devemos tratar cada um deles.

Quando eu trabalhava com entretenimento secular em Los Angeles, ouvia a palavra "Deus" umas cem vezes por dia, dita com leviandade por pessoas sem qualquer reverência ou compreensão acerca do Senhor. Foi só quando aceitei Jesus que percebi como a palavra se tornava uma imprecação quando tratada de modo profano. Usar o nome de Deus em vão traz uma maldição sobre quem o profere, pois é desobediência a um dos Dez Mandamentos: "Não use o nome do SENHOR, seu Deus, de forma indevida. O SENHOR não deixará impune quem usar o nome dele de forma indevida" (Êx 20.7). Também é uma violação do *maior* mandamento de Deus, que diz: "Ame o Senhor, seu Deus, de todo o seu coração, de toda a sua alma, de toda a sua mente e de todas as suas forças" (Mc 12.30). Ninguém que ama a Deus usa o nome dele em vão.

No entanto, a mesma palavra — "Deus" —, quando proferida em amor por alguém que o reverencia, tem em si grande poder. Poder de salvar, curar, prover, proteger e muito mais. Usá-la de modo profano impede que justamente essas coisas venham a fluir em nossa vida. Também há grande poder em cada um dos nomes de Deus, e quando ditos com fé, amor, entendimento e reverência, trazem uma bênção e aumentam sua fé.

Por exemplo, o nome de Deus é sempre um refúgio seguro quando se precisa de socorro. "O nome do Senhor é fortaleza segura; o justo corre para ele e fica protegido" (Pv 18.10). Se você está doente, corra para o Médico dos Médicos. Se não tem como pagar suas contas, corra para seu Senhor que Provê. Se você está com medo, corra para seu Refúgio. Se você está passando por uma fase de escuridão, corra para sua Luz Perpétua. Ao dizer o nome dele com reverência e agradecimento, você o convida a ser aquela designação para você. Muitas vezes, há tanta coisa que não temos em nossa vida simplesmente porque não reconhecemos Deus como a resposta para aquela necessidade. Como você pode ser curada se não reconhece que Deus é o Médico dos Médicos?

Na lista abaixo incluí apenas trinta nomes de Deus, mas há centenas em sua Palavra. Apesar de ser um só Deus, ele tem tantas dimensões que, a fim de sermos capazes de compreender todas elas, deu a si mesmo muitos nomes diferentes. É a única maneira de nós, que somos tão *pequenas*, conseguirmos começar a entender a Deus que é tão *grande*. Sugiro que toda vez que você deparar com outro nome para Deus na Bíblia, sublinhe, anote na margem ou acrescente a uma lista. Isso a fará lembrar de quem Deus deseja ser para você. Ao ler a lista abaixo, convide Deus a ser cada um desses nomes para você de uma forma nova, real e transformadora.

Trinta bons nomes pelos quais você pode chamar seu Deus

Se você repassar essa lista de nomes periodicamente e disser cada um deles em voz alta, agradecendo a Deus por sê-lo para você, ficará admirada como sua fé crescerá e como você se sentirá bem mais próxima de Deus.

1. *Aquele que cura* (Sl 103.3)
2. *Redentor* (Is 59.20)
3. *Auxílio* (Sl 70.5)
4. *Fortaleza* (Sl 43.2)
5. *Refúgio* (Jl 3.16)
6. *Amigo* (Jo 15.15)
7. *Advogado* (1Jo 2.1)
8. *Renovador de forças* (Sl 23.3)
9. *Pai eterno* (Is 9.6)
10. *Amor* (1Jo 4.16)
11. *Mediador* (1Tm 2.5-6)
12. *Rocha* (Sl 18.2)
13. *Pão da vida* (Jo 6.35)
14. *Esconderijo* (Sl 32.7)
15. *Luz eterna* (Is 60.20)
16. *Fortaleza segura* (Pv 18.10)
17. *Curral* (Jr 50.6)
18. *Espírito da verdade* (Jo 16.13)
19. *Abrigo contra a tempestade* (Is 25.4)
20. *Vida eterna* (1Jo 5.20)
21. *Senhor que provê* (Gn 22.14)
22. *Senhor da paz* (2Ts 3.16)
23. *Água viva* (Jo 4.10)

24. *Escudo* (Sl 144.2)
25. *Marido* (Is 54.5)
26. *Ajudador* (Hb 13.6)
27. *Maravilhoso conselheiro* (Is 9.6)
28. *Senhor que cura* (Êx 15.26)
29. *Esperança* (Sl 71.5)
30. *Deus de ânimo* (Rm 15.5)

– Minha oração a Deus –

Senhor, aproximo-me de ti no dia de hoje, grata porque tu te aproximarás de mim conforme prometeste em tua Palavra (Tg 4.8). Anseio por habitar em tua presença, e meu desejo é ter um relacionamento mais íntimo e mais profundo contigo. Quero conhecer-te de todas as maneiras que tu podes ser conhecido. Ensina-me o que preciso aprender a fim de conhecer-te melhor. Não quero ser uma pessoa que aprende sempre e jamais pode chegar ao conhecimento da verdade (2Tm 3.7). Quero saber a verdade sobre quem tu és, pois sei que estás perto de todos os que te invocam em verdade (Sl 145.18).

Estou aberta para aquilo que tu desejas fazer em minha vida. Não quero limitar-te ao deixar de reconhecer-te de todas as maneiras possíveis. Declaro neste dia que és Aquele que Cura, meu Libertador, meu Redentor e meu Consolador. Hoje preciso que tu sejas especialmente meu (*preencha com um dos nomes do Senhor*). Creio que tu serás isso para mim.

Deus, ajuda-me a reservar um tempo a cada dia para estar contigo a sós. Capacita-me para que eu consiga resistir e eliminar tudo o que poderia servir de impedimento. Ensina-me a orar conforme tu desejas. Ajuda-me a aprender mais sobre ti. Senhor, tu disseste: "Quem tem sede, venha a mim e beba!" (Jo 7.37). Tenho sede de mais de ti, pois estar sem ti é como viver em estiagem. Achego-me a ti no dia de hoje e bebo profundamente de teu Espírito.

Sei que tu estás em toda parte, mas sei que também há manifestações mais profundas de tua presença que desejo experimentar. Faze-me estar mais perto de ti para que possa habitar em tua presença como nunca.

~ As promessas de Deus para mim ~

Aproximem-se de Deus, e ele se aproximará de vocês.
TIAGO 4.8

É o Espírito da verdade. O mundo não o pode receber, pois não o vê e não o conhece. Mas vocês o conhecem, pois ele habita com vocês agora e depois estará em vocês.
JOÃO 14.16-17

Pois seu Pai tem grande alegria em lhes dar o reino.
LUCAS 12.32

Vocês nunca pediram desse modo. Peçam em meu nome e receberão, e terão alegria completa.
JOÃO 16.24

Apeguemo-nos firmemente, sem vacilar, à esperança que professamos, porque Deus é fiel para cumprir sua promessa.
HEBREUS 10.23

2

Senhor, purifica-me e faze meu coração reto diante de ti

Antes de prosseguirmos, vamos deixar uma coisa bem clara: você e eu não somos perfeitas. Ninguém é perfeito. Ninguém chegou lá. Ninguém é incapaz de pecar. Ninguém vive sem problemas. Ninguém já andou tanto tempo com o Senhor que saiba tudo e, portanto, não tenha nada a aprender. Nenhuma de nós é tão completa a ponto de não precisar de nada de Deus. Nenhuma de nós tem tudo absolutamente em ordem.

Pronto! Está dito.

Por favor, não pense que eu disse essas coisas porque acredito que *você* precise saber delas. Pelo contrário, creio que você *já* sabe disso. Eu as mencionei porque quero que você saiba que *todas nós* sabemos disso. Sabemos disso sobre nós mesmas, e uma sabe sobre a outra. Assim, podemos ser completamente honestas com nós mesmas sobre nós mesmas.

Ao ler este livro, não quero que você sinta que deve tentar alcançar um padrão inatingível. Este livro não diz respeito a alcançar padrões. Diz respeito a permitir que *Deus* se torne seu padrão. Não se trata de você mesma tentar fazer alguma coisa acontecer. Trata-se de reconhecer que você *não é capaz* de fazer nada acontecer, mas você pode entregar sua vida a Deus e deixar que ele faça as coisas acontecerem. Não tem a ver com encontrar formas de evitar o julgamento de Deus e sentir-se uma fracassada se não fizer tudo com perfeição. Tem a ver com experimentar plenamente o amor de Deus e deixar que ele a aperfeiçoe. Não se trata de fingir ser outra pessoa. Trata-se de tornar-se quem você é de fato. No entanto, a fim de ver essas coisas acontecerem, é preciso que você seja completamente honesta com você mesma e com Deus sobre quem você é neste momento.

As mulheres de todo o mundo querem viver de modo a dar frutos. Desejam habitar na graça do Senhor ao obedecer a suas leis. Desejam ser *inabaláveis* nas verdades de Deus e, ao mesmo tempo, *sensíveis* ao sofrimento e às necessidades dos outros. Desejam conhecer a Deus de todas as maneiras que ele possa ser conhecido e desejam ser transformadas pelo poder de seu Espírito. Contudo, muitas vezes elas são duras consigo mesmas quando não veem essas coisas acontecendo diariamente. São rápidas em detectar o que estão fazendo errado e lentas para apreciar o que estão fazendo certo.

Por isso, quero que você encare essa ideia de purificar seu coração não como um julgamento de que seu coração está impuro, mas sim como um chamado de Deus para que coloque tudo em ordem diante dele, a fim de que ele lhe possa dar todas as bênçãos que tem para sua vida. Veja isso como Deus preparando-a para o trabalho importante que ele tem para você mais adiante.

A fim de conseguir fazer isso, você terá de examinar sua vida muito bem. Terá de ser corajosa o suficiente para dizer: "Senhor, mostra-me o que está dentro de meu coração, alma, mente, espírito e vida e que não deveria estar lá. Ensina-me o que não estou compreendendo. Convence-me sobre onde estou errando o alvo. Acaba com minha arrogância, orgulho, medo e inseguranças e ajuda-me a enxergar a verdade sobre mim mesma, minha vida e minha situação. Expõe quem eu sou, Senhor. Eu posso aguentar. Capacita-me para que eu corrija meus caminhos errados. Ajuda-me a colocar a verdade no lugar das mentiras e a fazer mudanças duradouras".

É preciso coragem para fazer uma oração como essa. Talvez mais coragem do que muitas de nós têm no momento. Se você está hesitando em deixar que o Senhor exponha seu coração por causa daquilo que ele pode revelar, então peça a Deus que lhe dê a coragem de que você precisa. A fim de ver mudanças para melhor ocorrendo em sua vida, você precisa estar aberta para a obra de purificação e aperfeiçoamento do Espírito Santo. Você precisa permitir que ele exponha seu coração para que você não se engane sobre você mesma e sua vida. Precisa convidá-lo a criar um coração puro dentro de você. Então, deve estar disposta a fazer estas duas coisas:

1. *Confessar* a Deus qualquer pecado em pensamento ou ação que ele lhe mostrar.
2. *Arrepender-se* das coisas que acabou de confessar.

A verdadeira confissão

Não pense que não tem nenhum pecado a confessar, só porque não é uma assassina nem nunca roubou um banco. Não pense que, por estar caminhando com o Senhor há alguns anos e frequentar a escola dominical e o estudo bíblico durante a semana, bem como todas as reuniões de oração entre uma coisa e outra, não tenha nada de que se arrepender. O pecado não precisa ser óbvio, com luzes piscando ao redor, para ser pecado. Por exemplo, você alguma vez já duvidou de que Deus pode fazer aquilo que ele promete em sua Palavra?

A incredulidade é pecado. Já fez um comentário sobre outra pessoa que não foi exatamente lisonjeiro? A fofoca é pecado. Já evitou alguém temendo que essa pessoa fosse pedir algo que você não gostaria de dar? O egoísmo é pecado. Já teve uma atitude de desamor para com outra pessoa? Aquilo que não vem do amor é pecado.

É difícil evitar o pecado o tempo todo. É por isso que a confissão é tão essencial. Quando não confessamos nossos pecados, falhas ou erros, eles nos separam de Deus. Então, nossas orações não são respondidas. "Foram suas maldades que os separaram de Deus; por causa de seus pecados, ele se afastou e já não os ouvirá" (Is 59.2).

Quando não confessamos nossos pecados, acabamos tentando nos esconder de Deus. Como Adão e Eva no jardim, sentimos que não podemos encará-lo. Contudo, o problema relativo a tentar esconder-se de Deus é a impossibilidade. A Bíblia diz que tudo o que fazemos será revelado. Até mesmo as coisas que dissemos e pensamos em segredo. "Virá o dia em que tudo que está encoberto será revelado, e tudo que é secreto será divulgado. O que vocês disseram no escuro será ouvido às claras, e o que conversaram a portas fechadas será proclamado dos telhados" (Lc 12.2-3). "Nada, em toda a criação, está escondido de Deus. Tudo está descoberto e exposto diante de seus olhos, e é a ele que prestamos contas" (Hb 4.13).

Que ideia mais assustadora! Se cada uma de nós terá de prestar contas, quanto antes acertarmos as coisas com Deus, melhor. Na verdade, quanto antes tratarmos dos pecados que *podemos* ver, mais rápido Deus nos revelará os que *não podemos* enxergar. E só Deus sabe quantos desses estão habitando em cada uma de nós.

Todo pecado tem uma consequência. O rei Davi descreveu

isso muito bem quando falou de seu próprio pecado não confessado: "Enquanto me recusei a confessar meu pecado, meu corpo definhou, e eu gemia o dia inteiro. Dia e noite, tua mão pesava sobre mim; minha força evaporou como água no calor do verão" (Sl 32.3-4).

Lembro-me de ter ressentimentos para com meu marido por palavras que ele me disse e que me magoaram profundamente. Enquanto me agarrei àquela mágoa e ressentimento, senti-me fisicamente enferma. Não queria confessá-los, pois considerava meus sentimentos justificados e *ele* o errado. No entanto, finalmente percebi que todo pecado é pecado, então confessei meu ressentimento a Deus como pecado — e no momento em que o fiz, a sensação de enfermidade em meu corpo se foi. "Por causa de tua ira, todo o meu corpo adoece; minha saúde está arruinada, por causa de meu pecado. Minha culpa me sufoca; é um fardo pesado e insuportável. Minhas feridas infeccionaram e cheiram mal, por causa de minha insensatez" (Sl 38.3-5). A vida já é bastante difícil sem termos de carregar de um lado para o outro ossos velhos, secos, doentes e fracos.

Não há nada mais pesado do que o pecado. Não percebemos quanto ele é pesado até que sintamos seu peso esmagador trazendo morte para nossa alma. Não sentimos quanto ele é destrutivo até que demos de cara com o muro que se ergueu entre nós e Deus por causa do pecado. Por isso é melhor confessar cada pecado assim que nos damos conta dele e deixar nosso coração puro e reto imediatamente. A confissão mostra abertamente nosso pecado para Deus. Quando você confessa seu pecado, não está informando Deus de algo que ele não sabe. Ele já sabe. Ele quer ser informado de que *você* sabe.

Confessar, porém, é mais do que só pedir desculpas. Qualquer um pode fazer isso. Todas nós conhecemos pessoas que têm um talento especial para pedir desculpas. O motivo pelo qual elas fazem isso tão bem é porque praticam o tempo todo. Precisam dizer "desculpe-me" repetidamente, pois nunca mudam suas atitudes. Na verdade, algumas vezes dizem "desculpe-me" sem nem ao menos admitir que erraram. São os profissionais das desculpas. Suas confissões não significam nada. A *verdadeira* confissão, porém, significa admitir em detalhes o que você fez e então *arrepender-se* completamente daquilo.

O arrependimento pleno

Uma coisa é reconhecer que você fez algo errado e desobedeceu às leis de Deus; outra é entristecer-se com isso a ponto de resolver com determinação jamais fazer tal coisa de novo. Isso é arrependimento. *Arrepender-se significa mudar de ideia. Dar meia-volta e ir para o outro lado. Arrepender-se é sentir tão profundamente por seu ato a ponto de fazer o que for preciso para que não se repita.* A confissão significa que *reconhecemos* que fizemos algo errado e *admitimos* nosso pecado. O arrependimento significa que *sentimos* por nosso pecado a ponto de nos entristecermos profundamente e *mudamos de rumo*.

Arrepender-se de algo não significa necessariamente que jamais cometeremos aquele pecado outra vez. Significa que não temos a *intenção* de cometê-lo outra vez. Assim, se você se pegar confessando o mesmo pecado outra vez depois de tê-lo confessado há pouco tempo e se arrependido dele, prossiga com sua confissão. Não deixe que o inimigo coloque o laço da culpa em seu pescoço e grite palavras de fracasso em seu ouvido. Confesse e arrependa-se quantas vezes for preciso até poder dar um coice no inimigo e ver que você venceu a batalha com aquele problema. Não alimente pensamentos como "Certamente Deus não vai me perdoar de novo pela mesma coisa que confessei semana passada". Ele perdoa *toda vez* que confessamos o pecado diante dele e nos arrependemos plenamente. "Como é feliz aquele cuja desobediência é perdoada, cujo pecado é coberto!" (Sl 32.1). Você pode mudar o rumo das coisas em sua vida quando se volta para o Senhor e se arrepende.

Aprenda a confessar e arrepender-se rapidamente para que o processo de morte que começa a desenvolver-se cada vez que desobedecemos às regras de Deus não tenha tempo de fazer grandes estragos, "pois o salário do pecado é a morte" (Rm 6.23). Peça a Deus diariamente que lhe mostre em que pontos seu coração não está puro e reto diante dele. Não deixe que nada a separe de tudo o que Deus tem para você.

– Minha oração a Deus –

Senhor, coloco-me humildemente diante de ti e peço-te que purifiques meu coração de todo erro e renoves em mim um espírito reto. Perdoa-me por pensamentos que tive, palavras que disse e coisas que fiz que não te glorificaram ou que estão em contradição direta com teus mandamentos. Confesso-te especificamente (*mencione quaisquer pensamentos, palavras ou ações que você sabe que não agradam a Deus*). Confesso isso como pecado e me arrependo dele. Escolho deixar para trás esse tipo de pensamento ou ação e viver como tu queres. Sei que és "misericordioso e compassivo, lento para se irar e cheio de amor" (Jl 2.13). Perdoa-me por não dar a isso o devido valor.

Senhor, sei que és um Deus que "conhece os segredos de cada coração" (Sl 44.21). Revela-me esses segredos quando não consigo enxergá-los. Mostra-me qualquer área de minha vida onde eu esteja abrigando o pecado com meus pensamentos, palavras ou ações e que não reconheci. Mostra-me a verdade sobre mim mesma para que eu possa vê-la claramente. Examina minha alma e expõe minhas motivações, a fim de revelares aquilo que preciso compreender. Estou disposta a abrir mão de hábitos inúteis e sem sentido que não são o melhor que tu tens para minha vida. Capacita-me para que possa fazer mudanças onde elas são necessárias. Abre meus olhos para aquilo que preciso ver, a fim de que possa confessar todos os pecados e me arrepender deles. Desejo purificar minhas mãos e limpar meu coração conforme tu ordenaste em tua Palavra (Tg 4.8).

Peço-te: "Tem misericórdia de mim, ó Deus, por causa do teu amor. Por causa da tua grande compaixão, apaga as manchas de minha rebeldia. Lava-me de toda a minha culpa, purifica-me do meu pecado" (Sl 51.1-2). Senhor, cria em mim um "coração puro; renova dentro de mim um espírito firme. Não me expulses de tua presença e não retires de mim teu Santo Espírito" (Sl 51.10-11). "Absolve-me das faltas que me são ocultas" (Sl 19.12). "Mostra-me se há em mim algo que te ofende e conduze-me pelo caminho eterno" (Sl 139.24). Faze-me pura e reta diante de ti. Desejo receber teu perdão a fim de que venham tempos de refrigério de tua presença (At 3.20).

– As promessas de Deus para mim –

Se confessamos nossos pecados, ele é fiel e justo para perdoar nossos pecados e nos purificar de toda injustiça.
1João 1.9

Amados, se a consciência não nos condena, podemos ir a Deus com total confiança e dele receberemos tudo que pedirmos, pois lhe obedecemos e fazemos o que lhe agrada.
1João 3.21-22

Finalmente, confessei a ti todos os meus pecados e não escondi mais a minha culpa. Disse comigo: "Confessarei ao Senhor a minha rebeldia", e tu perdoaste toda a minha culpa.
Salmos 32.5

Agora, arrependam-se e voltem-se para Deus, para que seus pecados sejam apagados.
Atos 3.19

Quem oculta seus pecados não prospera; quem os confessa e os abandona recebe misericórdia.
Provérbios 28.13

3
Senhor, ajuda-me a ser uma pessoa que perdoa

Ao longo de minha infância, minha mãe abusava de mim, mas não meu pai. Quando me tornei cristã, a coisa óbvia a fazer era perdoar minha mãe. Foi só vários anos mais tarde que Deus me revelou que eu não havia perdoado meu pai. Quando um conselheiro cristão com quem eu conversava sobre a inquietação e frustração de minha alma me perguntou se havia algo pendente em relação ao meu pai, respondi que não. Por que haveria? Não foi *ele* que abusou de mim. No entanto, quando o conselheiro pediu que eu orasse e pedisse a Deus que me mostrasse a verdade, uma vida inteira de fúria, raiva, mágoa, rancor, bem como lágrimas e mais lágrimas inundaram todo o meu ser. Lá no fundo, sentia que meu pai não havia me salvado. Em momento algum ele havia me livrado da insanidade de minha mãe. Ele nunca havia me tirado do armário onde ela me trancava por tanto tempo no início de minha infância. Não percebi quanto eu o culpava por permitir que minha mãe, que ele sabia que sofria de uma doença mental grave, tivesse me tratado com tanta crueldade. Naquele dia, quando o perdoei, senti uma paz que jamais havia experimentado.

Com frequência, não reconhecemos o rancor que existe dentro de nós. *Achamos* que somos pessoas que perdoam, mas na verdade não somos. Se não pedimos a Deus que nos revele nosso rancor, talvez nunca nos libertemos das garras paralisantes desse mal em nossa vida. Uma boa parte do processo de nos certificarmos de que nossa vida está em ordem diante de Deus está relacionada a perdoar outras pessoas. Jamais poderemos alcançar tudo o que Deus tem para nós se não perdoarmos.

Uma excelente escolha

Sei que "ódio" é uma palavra muito forte e detestamos usá-la para qualquer coisa. Certamente detestamos a ideia de que talvez tenhamos, de fato, ódio a outra pessoa. É justamente nisso que consiste o rancor — ele é a raiz do ódio. Quando alimentamos pensamentos rancorosos, eles se transformam em ódio dentro de nós. João levava isso tão a sério que disse: "Quem odeia seu irmão já é assassino. E vocês sabem que nenhum assassino tem dentro de si a vida eterna" (1Jo 3.15). Jesus disse: "Quando estiverem orando, se tiverem alguma coisa contra alguém, perdoem-no, para que seu Pai no céu também perdoe seus pecados" (Mc 11.25).

Vamos deixar isso bem claro. Quando não perdoamos, somos considerados assassinos sem nenhuma esperança eterna e não devemos contar com o perdão de Deus até que tenhamos perdoado os outros. Eu diria que entre *perdoar* e *não perdoar*, perdoar parece ser a melhor escolha.

Quando decidimos não perdoar, acabamos andando em trevas (1Jo 2.9-11). Pelo fato de não podermos ver claramente, ficamos confusas e tropeçamos. Isso interfere em nossa capacidade de julgar corretamente, e assim cometemos erros. Tornamo-nos fracas, doentes e amargas. Outras pessoas percebem tudo isso, pois o rancor aparece no rosto, nas palavras e nas ações daqueles que o carregam consigo. Mesmo que não consigam identificar especificamente o que é, as pessoas veem isso e não se sentem à vontade perto de nós. Quando decidimos perdoar, não apenas *nós mesmas* somos beneficiadas, mas também as pessoas ao nosso redor.

A família em primeiro lugar

É muito fácil guardar rancor de membros da família, pois são eles que passam mais tempo conosco, nos conhecem melhor e podem nos magoar com maior profundidade. No entanto, por esses mesmos motivos, o rancor para com um deles pode causar grande destruição em nossa vida. É por isso que o perdão deve começar em casa.

Em primeiro lugar, é muito importante ter certeza de que você perdoou seus pais. A Bíblia é extremamente clara quanto a isso. O quinto mandamento diz: "Honre seu pai e sua mãe. Assim você terá vida longa e plena na terra que o Senhor, seu Deus, lhe dá" (Êx 20.12). Se você não honrá-los, sua vida será encurtada. E você não tem como honrá-los, se não perdoá-los.

Decidi perdoar minha mãe porque desejava obedecer a Deus e alcançar tudo que ele tinha preparado para mim. Deve ter funcionado, pois olhe só quantos anos eu tenho. No entanto, perdoá-la uma vez não significou que nunca mais precisei me preocupar com isso. Camadas e mais camadas de rancor haviam se acumulado dentro de mim ao longo dos anos, e descobri que precisava perdoá-la de novo cada vez que uma dessas camadas vinha à tona. Na verdade, precisava perdoá-la cada vez que me encontrava com ela, pois com o passar dos anos ela foi ficando cada vez pior.

Confessar um dia o rancor que sentimos por outra pessoa não significa que não teremos rancor dentro de nós no dia seguinte. É por isso que perdoar é uma escolha que devemos fazer *diariamente*. Nós *escolhemos* perdoar, quer tenhamos vontade de fazê-lo, quer não. Trata-se de uma decisão e não de um sentimento. Se esperarmos pelos sentimentos bons, pode ser que acabemos esperando a vida inteira. Se temos qualquer amargura ou rancor, a culpa é sempre nossa por não abrirmos mão deles. É nossa responsabilidade confessá-los a Deus e pedir que ele nos ajude a perdoar e prosseguir com nossa vida.

Precisamos também pedir que Deus nos mostre se há outros membros da família que precisamos perdoar. Normalmente, não nos vemos como pessoas rancorosas. Talvez irritadas, mas não rancorosas. No entanto, é necessário lembrar que nossos padrões são muito mais baixos que os de Deus e, portanto, muitas vezes não vemos quando precisamos perdoar. Peça a Deus que lhe revele qualquer rancor que você tenha de algum parente. Enquanto não resolver isso, você se sentirá péssima.

Quando você não consegue perdoar

Perdoar não é fácil. Algumas vezes, contudo, parece absolutamente impossível diante do sofrimento devastador e terrível por que passamos. Se você tem dificuldade em perdoar alguém, peça a Deus que a ajude. Foi o que eu fiz em relação a minha mãe e, quando ela faleceu, eu não sentia mais nenhum rancor por ela. Se lhe vem à mente alguém que é difícil você perdoar, peça a Deus que lhe dê um coração cheio de perdão por essa pessoa. Ore por ela de todas as formas que puder imaginar. É incrível como Deus enternece nosso coração quando oramos pelas pessoas. Nossa raiva, ressentimento e mágoa transformam-se em amor.

No entanto, não se preocupe. *Quando perdoamos alguém, isso não faz com que essa pessoa esteja certa nem justifica seus atos. Perdoar as pessoas as coloca nas mãos de Deus para que ele possa lidar com elas.* Na verdade, o perdão é a melhor vingança, porque não apenas nos liberta da pessoa que perdoamos como também nos liberta para prosseguirmos e alcançarmos tudo o que Deus tem para nós. O fato de perdoarmos alguém não depende de essa pessoa admitir sua culpa ou pedir desculpas. Se fosse assim, a maioria de nós jamais seria capaz de fazê-lo. Podemos perdoar independentemente do que a outra pessoa faça.

Algumas vezes, acontecem coisas tão devastadoras em nossa vida que podemos passar anos sem nos dar conta da amargura que temos por causa delas. Às vezes, não perdoamos a *nós mesmas* e, assim, nos condenamos a uma vida inteira de castigo por seja lá o que for que fizemos ou deixamos de fazer. Algumas vezes culpamos Deus por certas coisas que aconteceram. Peça a Deus que lhe mostre se uma dessas situações é seu caso. Não deixe que a falta de perdão limite o que Deus deseja fazer em sua vida.

Quantas vezes for preciso

Quatrocentas e noventa! Esse é o número de vezes que devemos perdoar uma pessoa. Pedro perguntou a Jesus: "Senhor, quantas vezes devo perdoar alguém que peca contra mim? Sete vezes?". Jesus lhe respondeu: "Não sete vezes, mas setenta vezes sete" (Mt 18.21-22). É possível que você consiga pensar em alguém que vai ter de perdoar 490 vezes *por dia*, mas a questão é que Deus deseja que perdoemos quantas vezes for preciso. Ele quer que sejamos pessoas que perdoam.

Jesus contou a história de um homem que foi perdoado de uma grande dívida que tinha com seu senhor. Ainda assim, logo depois disso, mandou seu pobre servo para a cadeia porque este não pôde *lhe* pagar uma pequena dívida. Quando o senhor ficou sabendo disso, falou: "'Servo mau! Eu perdoei sua imensa dívida porque você me implorou. Acaso não devia ter misericórdia de seu companheiro, como tive misericórdia de você?'. E, irado, o senhor mandou o homem à prisão para ser torturado até que lhe pagasse toda a dívida. 'Assim também meu Pai celestial fará com vocês caso se recusem a perdoar de coração a seus irmãos'" (Mt 18.32-35).

Isso é muito sério. Nós que aceitamos Jesus fomos perdoadas de uma dívida *enorme*. Não temos direito nenhum de deixar de perdoar os outros. Deus diz: "Em vez disso, sejam bondosos e tenham compaixão uns dos outros, perdoando-se como Deus os perdoou em Cristo" (Ef 4.32). Se não perdoarmos, seremos prisioneiras de nosso ódio, torturadas por nossa amargura.

Tudo o que fazemos na vida e que tem valor eterno gira em torno de duas coisas: amar a Deus e amar aos outros. É muito mais fácil amar a Deus do que aos outros, mas Deus considera ambos a mesma coisa. Um dos gestos mais amorosos que podemos realizar é perdoar. É difícil perdoar aqueles que nos magoaram, ofenderam e maltrataram. No entanto, Deus deseja que amemos até nossos inimigos. Ao longo desse processo, ele nos aperfeiçoa (Mt 5.48). *Vai ser sempre fácil encontrarmos algo para não perdoar. Precisamos parar de procurar.*

Deus deseja que você alcance tudo o que ele tem para você. Se, porém, você não perdoar, ficará presa onde está e impedirá que Deus trabalhe em sua vida. O perdão abre seu coração e sua mente e permite que o Espírito Santo opere em você livremente. Ele liberta você para ter mais amor por Deus e sentir em maior medida o amor dele por você. Sem isso, a vida não vale a pena.

– Minha oração a Deus –

Senhor, ajuda-me a ser uma pessoa que perdoa. Mostra-me os casos em que não o sou. Expõe os lugares mais profundos de minha alma para que eu não fique presa ao rancor e coloque em risco meu futuro. Se há dentro de mim qualquer raiva, amargura, ressentimento ou rancor que não estou reconhecendo, revela-os e eu os confessarei a ti como pecado. Peço-te de maneira específica que me ajudes a perdoar completamente (*mencione a quem você deve perdoar*). Faze-me compreender a profundidade de teu amor por mim para que eu não deixe de conceder o perdão a outros. Sei que o fato de eu perdoar alguém não faz com que essa pessoa esteja certa, mas sim que eu fique livre. Também sei que tu és o único que conhece toda a história e que farás justiça.

Ajuda-me a perdoar a mim mesma pelas vezes em que fracassei. E, se te culpei por coisas que aconteceram em minha vida, mostra-me para que possa confessar isso diante de ti. Capacita-me para que eu ame meus inimigos conforme tu ordenaste em tua Palavra. Ensina-me a abençoar os que me amaldiçoam e me perseguem (Mt 5.44-45). Faze-me lembrar de orar por aqueles que me magoam ou ofendem a fim de que eu tenha um coração terno para com eles. Não quero tornar-me uma pessoa dura e amarga pelo rancor. Faze-me alguém que não tarda em perdoar.

Senhor, mostra-me se há algum rancor para com minha mãe ou meu pai por qualquer coisa que tenham feito ou deixado de fazer. Não quero encurtar minha vida por não honrá-los e quebrar esse importante mandamento. E onde o rancor me afastou de outro membro da família, peço-te que derrubes esse muro. Ajuda-me a perdoar sempre que for preciso. Nos casos em que posso ser um instrumento de reconciliação entre outros membros da família cujo relacionamento encontra-se rompido ou desgastado, capacita-me para fazê-lo.

Senhor, não quero que nada se coloque entre nós e não quero que minhas orações sejam interrompidas por eu haver alimentado o pecado em meu coração. No dia de hoje, decido perdoar todas as pessoas e todas as coisas e me libertar da morte que o rancor traz. Se qualquer pessoa sente rancor por mim, peço-te que enterneças seu coração para me perdoar e mostra-me o que posso fazer para resolver essa questão entre essa pessoa e eu. Sei que não posso ser uma luz para outros enquanto estiver andando nas trevas do rancor. Escolho andar na luz, como tu estás na luz, e ser purificada de todo pecado (1Jo 1.7).

– As promessas de Deus para mim –

Não julguem e não serão julgados. Não condenem e não serão condenados. Perdoem e serão perdoados.
Lucas 6.37

O sensato não perde a calma, mas conquista respeito ao ignorar as ofensas.
Provérbios 19.11

Eu, porém, lhes digo: amem os seus e orem por quem os persegue. Desse modo, vocês agirão como verdadeiros filhos de seu Pai, que está no céu.
Mateus 5.44-45

SENHOR, AJUDA-ME A SER UMA PESSOA QUE PERDOA

Quem odeia seu irmão ainda está na escuridão e anda na escuridão. Não sabe para onde vai, pois a escuridão o cegou.
1João 2.11

Seu Pai celestial os perdoará se perdoarem aqueles que pecam contra vocês. Mas, se vocês se recusarem a perdoar os outros, seu Pai não perdoará seus pecados.
Mateus 6.14,15

4

Senhor, ensina-me a andar por teus caminhos em obediência

Lembro-me de quando estava no ensino médio e, certo semestre, tive de fazer aulas de natação. Eu detestava as aulas porque eram às sete e meia da manhã e meu cabelo ficava horrível o resto do dia. (Naquela época, não havia secadores de cabelo portáteis, se é que você consegue imaginar tempos tão primitivos.) Chuva ou sol, tínhamos de nadar todo dia, e, às vezes, era bem frio naquelas manhãs de inverno californiano cheias de nevoeiro. Você só era dispensada se estivesse morrendo, e ainda assim precisava apresentar um atestado médico.

Apesar da penúria daquela experiência, eu adorava nadar e tornei-me razoavelmente boa em natação. Aprendi que, se me posicionasse corretamente e fizesse todos os movimentos certos, podia avançar com rapidez na água. Tornou-se um exercício fácil, e logo eu estava do outro lado da enorme piscina. Não havia nada que me fizesse vacilar, nem mesmo a água agitada pelos outros nadadores dos dois lados.

O mesmo princípio aplica-se a nós. Se queremos atravessar as águas de nossa vida com sucesso, devemos nos posicionar corretamente e aprender quais são os movimentos certos. Se não o fizermos, quando chegarmos às situações turbulentas, não seremos capazes de atravessá-las. Acabaremos nos debatendo até a exaustão fazendo de tudo para não afundar. E, na verdade, jamais chegaremos a lugar algum.

No entanto, se nos posicionarmos sob a liderança de Cristo e aprendermos o que ele requer de nós, o fluir do Espírito Santo nos levará para onde precisamos ir.

Os movimentos certos

A maneira de aprendermos o que Deus espera de nós é pela leitura de sua Palavra. Não podemos começar a fazer os movimentos certos se não sabemos quais são. Além disso, podemos estudar quanto quisermos o santo manual da vida e aprender tudo o que devemos, mas chegará uma hora em que precisaremos pular na água. A prova de nossa sinceridade encontra-se em *fazer* e não somente saber. Uma coisa é escrever uma lista do que se deve ou não fazer, mas outra bem diferente é ter um coração dedicado aos caminhos de Deus e uma alma que anseia por viver nesses caminhos. Uma coisa é ler sobre a vida e outra é vivê-la. A obediência é algo que você *faz*; ter um coração disposto a obedecer é um motivo de *oração*.

Senhor, ajuda-me a ser disciplinada

Ouço esse clamor de mulheres por todo o mundo. Sabemos um bocado sobre o que *devemos* fazer, mas muitas vezes temos dificuldade de *pôr isso em prática*. Devemos orar para que Deus nos capacite a fim de sermos disciplinadas o suficiente para fazer o que é necessário.

Na maior parte do tempo, sou uma pessoa razoavelmente disciplinada. No entanto, nem sempre fui assim. Houve uma época em minha vida que era exatamente o contrário. Sofria de uma depressão que não me largava. E, como muitas de vocês que já ficaram deprimidas sabem, é impossível pensar com clareza e organizar bem a vida quando você está lutando para encontrar um motivo para viver. Você não consegue fazer as coisas que são boas para você porque não sabe se valem a pena. Não avança na vida, pois sobreviver a cada dia requer toda a sua energia.

Quando comecei a aprender a orar sobre todos os aspectos de minha vida, pedi a Deus que me ajudasse a ser disciplinada o suficiente para ler diariamente sua Palavra, orar fielmente e dar os passos de obediência que precisava. Pedi-lhe que me livrasse da depressão e de qualquer outra coisa que estivesse me impedindo de chegar a tudo o que ele havia reservado para mim. Eu me surpreendi como Deus respondeu tão rapidamente àquelas orações. Tornei-me muito mais disciplinada, organizada e obediente do que acredito que seria normal dentro de minhas capacidades naturais. Mesmo caminhando com o Senhor há tanto tempo, porém, ainda estou aprendendo a viver em novos patamares de obediência. Meu corpo está envelhecendo, mas, como resultado de obedecer a Deus de novas maneiras, a cada ano que passa meu espírito está sendo renovado. E, a cada novo passo de obediência que dou, experimento novas bênçãos e nova liberdade que não conhecia e jamais imaginei serem possíveis.

Não caia na armadilha de achar que, uma vez que você foi salva, não precisa mais fazer nenhum esforço. É como se não tomasse mais banho por já ter se casado. Talvez você consiga escapar por um tempo, mas é um negócio arriscado e sem dúvida alguma afetará sua qualidade de vida. Aprender a obedecer é um processo que dura a vida toda. Há sempre novas dimensões de obediência a conquistar. Mesmo que você venha caminhando com o Senhor há décadas, ainda precisa que Deus lhe mostre certas áreas da vida em que não está sendo obediente. *Nós nos complicamos quando achamos que sabemos o que fazer e paramos de perguntar a Deus se estamos, de fato, fazendo o que devemos.* "Portanto, precisamos prestar muita atenção às verdades que temos ouvido, para não nos desviarmos delas" (Hb 2.1).

Não podemos jamais nos orgulhar de como obedecemos a Deus perfeitamente, pois ele está, a todo tempo, nos levando além e pedindo que passemos a outros níveis de crescimento. Também não podemos cair no outro extremo e dizer: "Este é meu jeito de ser: indisciplinada e incapaz de aprender". Não temos desculpas para deixar de fazer o que devemos quando Deus diz que nos *capacitará* para fazê-lo se pedirmos sua ajuda. Tudo que precisamos dizer é: "Senhor, ajuda-me a ser disciplinada o suficiente para obedecer-te como tu queres a fim de que eu possa ser a pessoa que tu me criaste para ser". Sem a obra de aperfeiçoamento, balanceamento e refinamento do Espírito Santo, a liberdade que você tem em Cristo se transformará em permissão para fazer o que você bem entender.

Obediência pessoal

Além das regras que todos nós temos de obedecer, há coisas específicas que Deus pede de cada uma de nós individualmente, a fim de nos levar a alcançar o propósito que ele tem para nossa vida. Essas coisas são diferentes para cada pessoa. Por exemplo, muitos anos atrás, Deus instruiu meu marido e eu para que nos mudássemos da Califórnia para o Tennessee. Não era algo que eu queria fazer, e a ideia nem havia me passado pela cabeça. Estava feliz onde me encontrava e não queria sair de lá. No entanto, por causa de uma direção clara de Deus, empacotamos nossas coisas e obedecemos. Ao longo dos anos, ficaram cada vez mais claros os motivos de nossa mudança, e sou muito grata por termos ouvido e seguido a direção de Deus. Contudo, possivelmente não teríamos ouvido se não tivéssemos, de fato, dito para Deus: "Senhor, mostra-nos o que devemos fazer".

É importante que você continue pedindo a Deus que lhe mostre o que ele quer que *você* faça. Se você não perguntar, não ficará sabendo. É simples assim. Por exemplo, talvez Deus lhe peça que mude de emprego, pare de fazer certa atividade, faça parte de certa igreja ou mude o jeito com que sempre fez alguma coisa. Seja lá o que ele pedir que você faça, lembre-se de que ele tem em mente as maiores bênçãos para sua vida. No entanto, você deve entender que talvez nem chegue a ouvi-lo, caso não esteja realizando os outros passos de obediência que ele espera de todas nós e que podem ser encontrados em sua Palavra. "As orações de quem se recusa a ouvir a lei são detestáveis para Deus" (Pv 28.9). Perguntar não dói.

Coisas que você preferia não fazer

Todas nós temos de fazer coisas que não queremos. Até mesmo no mais maravilhoso dos empregos, sempre há alguns aspectos que não nos encantam. No entanto, parte do sucesso na vida significa fazer coisas que preferíamos não fazer. Quando fazemos coisas de que não gostamos simplesmente porque sabemos que precisamos fazê-las, isso constrói nosso caráter. Torna-nos disciplinadas. Transforma-nos em líderes para as quais Deus pode encarregar suas missões. Há sempre um preço a pagar quando deixamos de lado coisas que *precisamos* fazer a fim de fazer só as coisas que *temos vontade*. Precisamos estar desejosas de fazer sacrifícios pelas bênçãos que queremos.

Quando você sente dificuldade em fazer algo que *sabe* que é necessário, peça ao Espírito Santo que a ajude. É claro que você ainda tem de dar o primeiro passo, não importa quão assustador, intimidante, horrível, incômodo ou desagradável ele seja. Mas, quando você o fizer, o Espírito Santo a ajudará por todo o caminho. "Porei dentro de vocês meu Espírito, para que sigam meus decretos e tenham o cuidado de obedecer a meus estatutos" (Ez 36.27).

Dez bons motivos para obedecer a Deus

Há inúmeros motivos para obedecer a Deus, mas há um motivo principal: é o que ele ordena que façamos. Se não houvesse mais nenhum motivo, esse certamente já seria suficiente. No entanto, há muitos benefícios importantes dos quais você e eu devemos ser lembradas com regularidade. Abaixo fiz uma lista com dez deles.

1. *Nossas orações são ouvidas.* "Se eu não tivesse confessado o pecado em meu coração, o Senhor não teria ouvido. Mas Deus ouviu! Ele atendeu à minha oração" (Sl 66.18-19).

2. *Desfrutamos uma percepção mais profunda da presença do Senhor.* "Quem me ama faz o que eu ordeno. Meu Pai o amará, e nós viremos para morar nele" (Jo 14.23).

3. *Adquirimos sabedoria.* "Ele reserva bom senso aos honestos e é escudo para os íntegros" (Pv 2.7).

4. *Temos a amizade de Deus.* "Vocês serão meus amigos se fizerem o que eu ordeno" (Jo 15.14).

5. *Podemos viver em segurança*. "Se quiserem viver seguros na terra, sigam os meus decretos e obedeçam aos meus estatutos" (Lv 25.18).
6. *Somos aperfeiçoadas*. "Quem obedece à palavra de Deus mostra que o amor que vem dele está se aperfeiçoando em sua vida. Desse modo, sabemos que estamos nele" (1Jo 2.5).
7. *Somos abençoadas*. "Vejam, hoje lhes dou a escolha entre bênção e maldição! Vocês serão abençoados se obedecerem aos mandamentos do SENHOR, seu Deus, que hoje lhes dou" (Dt 11.26-27).
8. *Encontramos felicidade*. "Quem obedece à lei é feliz" (Pv 29.18).
9. *Temos paz*. "Observe os que são íntegros e justos; um futuro maravilhoso espera os que amam a paz" (Sl 37.37).
10. *Temos uma vida longa*. "Meu filho, não se esqueça de minhas instruções; guarde meus mandamentos em seu coração. Se assim fizer, viverá muitos anos, e sua vida será cheia de paz" (Pv 3.1-2).

Um trampolim para o destino

Deus tem grandes planos para você. Tem coisas importantes que ele deseja que você faça. Neste exato momento, ele está preparando você para seu destino. Contudo, você precisa dar passos de obediência a fim de chegar lá. Além disso, precisa confiar que ele sabe o caminho e que não vai magoá-la ao longo do processo.

As regras de Deus são para nosso bem, não para nos fazer sofrer. Quando vivemos de acordo com elas, a vida funciona. Quando não as seguimos, a vida se desintegra. Quando obedecemos, temos clareza. Quando não, temos confusão.

Além disso, existe uma relação bem definida entre obediência e amor a Deus. Apesar de Deus nos amar, não vamos sentir seu amor, se estamos andando em desobediência, fora de seus caminhos.

Existe, também, uma relação direta entre a obediência e a resposta às orações (1Jo 3.22). Se você está frustrada porque não vê respostas a suas orações, pergunte a Deus se isso está sendo causado por desobediência. Diga: "Senhor, há alguma área de minha vida em que não estou sendo obediente a ti?". Não fique falando para Deus o que *você* quer sem perguntar o que *ele* quer.

Você não sabe quando alcançará aquele momento para o qual Deus a está preparando. E não é só um momento; é uma sucessão de muitos momentos. Não importa se você é uma profissional solteira ou uma senhora casada com nove filhos, todos com menos de 10 anos de idade, não importa se você tem 19 ou 90 anos, Deus está preparando você a cada dia para algo especial. Ele quer que você esteja disposta a deixar que ele a purifique, fortifique e faça você crescer nele. Contudo, você precisa respeitar as regras do jogo. "O atleta não conquista o prêmio se não seguir as regras" (2Tm 2.5). Você não pode nadar com sucesso até chegar àquela sucessão de momentos se não estiver fazendo os movimentos certos no presente.

– Minha oração a Deus –

Senhor, tua Palavra diz que aqueles que amam tua lei terão grande paz e nada os fará tropeçar (Sl 119.165). Amo tua lei, pois sei que ela é boa e que existe para meu próprio bem. Capacita-me a viver em obediência a cada lei para que eu não tropece e venha a cair. Ajuda-me a obedecer-te para que possa permanecer na confiança e paz de saber que estou andando em teus caminhos.

Meu coração deseja obedecer-te em *todas* as coisas, Senhor. Mostra-me em que áreas não estou fazendo isso. Se há passos de obediência que preciso dar e que não compreendo, peço-te que abras meus olhos para a verdade e me ajudes a dar esses passos. Sei que não posso fazer tudo certo sem tua ajuda, por isso peço que tu me capacites para que eu viva em teus caminhos em obediência. "De todo o meu coração te busquei; não permitas que eu me desvie de teus mandamentos" (Sl 119.10).

Tua Palavra diz que "se afirmamos que não temos pecados, enganamos a nós mesmos e não vivemos na verdade" (1Jo 1.8). Não quero me iludir ao não te perguntar onde estou errando o alvo que tu determinaste para minha vida. Revela-me quando *não* estou fazendo as coisas que *deveria*. Mostra-me se estou fazendo coisas que não deveria. Ajuda-me a ouvir tuas instruções específicas para mim. Fala claramente comigo por meio de tua Palavra para que eu saiba o que é certo e o que é errado. Não quero agir de modo a entristecer o Espírito Santo (Ef 4.30). Ajuda-me a estar sempre aprendendo sobre teus caminhos para que possa viver na plenitude de tua presença e alcançar tudo o que tu tens para mim.

– As promessas de Deus para mim –

E dele receberemos tudo que pedirmos, pois lhe obedecemos e fazemos o que lhe agrada.
1João 3.22

Pois o Senhor *Deus é nosso sol e nosso escudo; ele nos dá graça e honra. O* Senhor *não negará bem algum àqueles que andam no caminho certo.*
Salmos 84.11

Aqueles que obedecem a seus mandamentos permanecem nele, e ele permanece neles. E sabemos que ele permanece em nós porque o Espírito que ele nos deu permanece em nós.
1João 3.24

Ainda mais felizes são os que ouvem a palavra de Deus e a praticam.
Lucas 11.28

Aqueles que aceitam meus mandamentos e lhes obedecem são os que me amam. E, porque me amam, serão amados por meu Pai. E eu também os amarei e me revelarei a cada um deles.
João 14.21

5
Senhor, fortalece-me para que eu possa enfrentar o inimigo

Quando uma tragédia inconcebível atingiu nossa nação no dia 11 de setembro de 2001, em Nova York, muitas pessoas perguntaram: "Por que isso aconteceu?". Em dor profunda e insuportável e em estado de choque, elas queriam uma resposta. Há muitas respostas para essa pergunta, mas a principal é a seguinte: nós temos um inimigo. Não quero dizer só os nova-iorquinos ou os cidadãos dos Estados Unidos. Refiro-me a todos que representam as coisas de Deus. Existe um inimigo que se opõe a tudo o que Deus é, a tudo o que ele faz e a qualquer um que creia em Deus e deseje viver em seus caminhos.

Todas nós temos um inimigo, que é como um terrorista para nossa alma. Se não nos dermos conta disso, será fácil ele nos manipular. É claro que ele não é onisciente nem onipresente — ele não tem como conhecer todos os nossos pensamentos e estar em todo lugar —, mas se não nos conscientizarmos por completo de que ele é um inimigo limitado e derrotado, então seremos perseguidas por ele continuamente. Uma das coisas que Jesus realizou quando morreu e ressuscitou foi romper o poder do inimigo. Quando ele derrotou o inimigo na cruz, deu-nos autoridade sobre ele. Disse: "Eu lhes dei autoridade [...] sobre todo o poder do inimigo. Nada lhes causará dano" (Lc 10.19).

Estamos todas envolvidas numa batalha espiritual com um inimigo que jamais desistirá. Mesmo que sejam as pessoas que façam coisas perversas contra nós, devemos ter em mente que é o nosso maior inimigo, o diabo, quem está por trás disso. "Pois nós não lutamos contra inimigos de carne e sangue, mas contra governantes e autoridades do mundo invisível, contra grandes poderes neste mundo de trevas e contra espíritos malignos nas esferas celestiais" (Ef 6.12). Mesmo quando estamos sendo atacadas por uma pessoa, o reconhecimento de quem é o nosso verdadeiro inimigo será o primeiro passo para podermos enfrentá-lo.

Assim como Deus tem um plano para você, Satanás também tem. O plano de Satanás é roubar de você e destruir sua vida. "O ladrão vem para roubar, matar e destruir" (Jo 10.10). Ele se disfarça para que não pareça ameaçador, e ele nos entorpece de modo a pensarmos que não estamos em perigo (2Co 11.14). No entanto, nunca tira um dia de folga. Está constantemente tentando cumprir o plano dele para sua vida. É por isso que você precisa ser sóbria e vigilante, pois o diabo "anda como um leão rugindo à sua volta, à procura de alguém para devorar" (1Pe 5.8).

Na maioria das vezes, conseguimos reconhecer os ataques óbvios do inimigo. No entanto, é mais difícil reconhecermos os mais sutis, quando estamos sendo seduzidas a aceitar algo em nossa vida que acabará nos desviando do caminho certo ou nos destruindo. Por exemplo, o diabo tentará fazê-la acreditar que você merece todas as coisas ruins que acontecem com você. Para Deus, porém, não se trata de merecer ou não. Não merecíamos que Jesus morresse na cruz por nós. Ainda assim ele o fez. A questão não é se merecemos as coisas que o diabo atira em nossa direção. A questão é que Jesus morreu para que não tenhamos de passar por elas. Peça a Deus que a ajude a discernir o trabalho do inimigo em sua vida. Então, "resistam ao diabo, e ele fugirá de vocês" (Tg 4.7).

Cinco boas armas contra a destruição em massa

Deus nos deu muitas armas para usarmos contra os planos do inimigo para nos destruir. Eis as cinco principais:

1. *Uma arma poderosa contra o inimigo é a Palavra de Deus.* Ela é *a mais* poderosa das armas. Até mesmo Jesus empregou-a contra o diabo quando foi guiado para o deserto pelo Espírito Santo e Satanás apareceu para tentá-lo (Mt 4.1). Poderíamos pensar que, se fôssemos o Filho de Deus, não precisaríamos ir para o deserto e muito menos ser tentadas pelo diabo. Mas o tentador aproximou-se dele, como faz com todas nós, e Jesus usou a Palavra de Deus para refutá-lo. Disse: "Uma pessoa não vive só de pão, mas de toda palavra que vem da boca de Deus" (Mt 4.4). Quando o diabo tentar destruir sua vida, refute-o com a Palavra de Deus. "O prudente antevê o perigo e toma precauções; o ingênuo avança às cegas e sofre as consequências" (Pv 27.12). No instante em que você identificar o mal trabalhando em seu meio, esconda-se na Palavra de Deus.

2. *Uma arma poderosa contra o inimigo é o louvor.* O diabo odeia quando adoramos a Deus. Isso porque não pode suportar ver as pessoas adorando outro que não seja ele. Ele detesta tanto que não consegue nem ficar por perto. Quando adoramos a Deus, sua presença habita poderosamente em nosso meio, e o diabo tem de ir embora.

3. *Uma arma poderosa contra o inimigo é a obediência.* Se estamos vivendo em pecado ou andando em desobediência em qualquer aspecto, isso deixa a porta aberta em nossa vida para

que o diabo tenha acesso a nós e, por fim, um lugar onde se instalar. Certas coisas ruins que acontecem conosco podem ser obra do inimigo, mas podem ser também por causa de nosso próprio pecado, que deu a ele um lugar para erguer uma fortaleza em nossa vida. Satanás não tem poder sobre você, mas a desobediência às leis de Deus abre a porta e coloca uma placa de boas-vindas para ele. A confissão e o arrependimento batem a porta na cara dele.

4. *Uma arma poderosa contra o inimigo é a fé.* Tenha em mente que o inimigo está sempre colocando minas em seu caminho. Você não faz ideia de onde elas possam estar, pois não são visíveis aos olhos humanos. A maneira de evitá-las é andar perto de Deus e deixar que ele guie seus passos. Isso requer fé. "Permaneçam firmes contra ele e sejam fortes na fé. Lembrem-se de que seus irmãos em todo o mundo estão passando pelos mesmos sofrimentos" (1Pe 5.9). Caminhar pela fé é uma forma poderosa de evitar as armadilhas do inimigo.

5. *Uma arma poderosa contra o inimigo é a oração e o jejum.* A oração é uma arma de peso contra o inimigo. Jejuar torna essa arma ainda mais poderosa. Com frequência, só é possível destruir a fortaleza que o inimigo constrói em nossa vida pelo jejum. Pode não parecer que uma coisa tão simples é capaz de fazer tanto, mas é verdade. Também pode não parecer que esteja acontecendo algo enquanto você jejua, mas há coisas sendo rompidas no reino espiritual. Normalmente, um simples jejum de 24 horas é suficiente para nos libertar do inimigo em nossa vida. Jejuar com regularidade mantém o inimigo afastado e suas fortalezas arrasadas. É uma forma de dizer: "Nego a mim mesma aquilo que mais quero e coloco Deus em primeiro lugar em minha vida". O inimigo odeia isso, pois é uma forma garantida de resistir a ele e derrotá-lo.

Sou uma pessoa boa, então por que ele está me atacando?

Muitas pessoas já fizeram essa pergunta, mas nela está contida a resposta. O inimigo ataca você *porque* você é uma pessoa boa. O inimigo sempre atacará qualquer um que ame a Deus e viva em seus caminhos. Na verdade, esse é o principal critério para a inimizade dele contra você. A única maneira de fazer com que ele não a ataque é tornar-se como ele. Você teria de defender aquilo que ele representa. Enquanto seu coração está voltado para as coisas de Deus, você é alvo do inimigo.

Lembre-se de que quanto maior é seu compromisso com o Senhor, mais o diabo vai persegui-la. É por isso que, se você está se encaminhando para um nível mais profundo de compromisso com Deus ou entrando num momento de livramento e liberdade, ou ainda, começando um novo ministério ou trabalho que Deus está colocando diante de você, pode apostar que o inimigo tentará impedi-la. Ele fará tudo o que puder para desgastá-la com desânimo, doenças, confusão, culpa, conflitos, medo, depressão ou derrotismo. Ele pode ameaçar sua mente, suas emoções, sua saúde, seu trabalho, sua família ou seus relacionamentos. Ele tentará fazer você desistir. Mesmo que ele nem chegue perto de ter tanto poder quanto Deus, procurará levá-la a pensar o contrário. Tentará conquistar uma posição de controle em sua vida por meio do engano. Tentará cegá-la para a verdade para que você acredite nas mentiras dele. Tentará convencê-la de que ele está vencendo a batalha, mas a verdade é que ele já perdeu.

O negócio é o seguinte: o diabo veio para roubar, matar e destruir. Jesus veio para nos dar vida em abundância. Hummm. Vejamos... Morte e destruição de Satanás. Vida e abundância de Jesus. Será que isso significa que, se você não está vivendo em abundância, o diabo está roubando de você? Acho que é bem possível, especialmente tendo em vista que esse é o objetivo da existência dele. A outra única possibilidade é que você não esteja verdadeiramente em sintonia com Deus e não esteja vivendo nos caminhos dele. Peça a Deus que lhe mostre a verdade sobre sua situação. Não deixe que o inimigo de nossa alma engane você levando-a a aceitar qualquer coisa aquém daquilo que Deus tem para você.

– Minha oração a Deus –

Senhor, agradeço-te por teres sofrido e morrido na cruz por mim e por teres ressuscitado e derrotado a morte e o inferno. Meu inimigo foi derrotado por causa daquilo que tu fizeste. Obrigada porque me deste toda a autoridade sobre ele (Lc 10.19). Pelo poder de teu Santo Espírito posso resistir ao diabo, e ele precisa fugir de mim (Tg 4.7). Mostra-me quando não reconheço alguma intromissão do inimigo em minha vida. Ensina-me a usar a autoridade que tu me deste para vê-lo ser derrotado em todas as áreas.

Revela-me qualquer parte de minha vida onde eu esteja andando em desobediência. Se abri uma brecha para o inimigo em minha armadura protetora, uma brecha que ele possa usar para me prender, mostra-me para que eu possa consertá-la. Cinge-me com uma fé resistente em ti e em tua Palavra. Ajuda-me a jejuar e orar com regularidade a fim de destruir qualquer fortaleza que o inimigo esteja tentando erguer em minha vida.

Senhor, sei que no meio da batalha meu coração não precisa desfalecer. Não preciso ter medo diante do inimigo (Dt 20.3). Obrigada porque, mesmo que o inimigo tente me manter prisioneira da vontade dele, tu me deste o poder de escapar completamente de seus laços (2Tm 2.26). Obrigada por teres me livrado dele (Sl 18.17) e seres meu escudo, pois vivo em teus caminhos (Pv 2.7). Ajuda-me a não me deixar vencer pelo mal, mas a vencer o mal com o bem (Rm 12.21). No recôndito de tua presença, esconde-me das tramas dos homens perversos (Sl 31.20). Obrigada porque jamais serei derrotada pelo inimigo desde que resista firme em ti.

– As promessas de Deus para mim –

O Senhor é fiel; ele os fortalecerá e os guardará do maligno.
2Tessalonicenses 3.3

Portanto, vistam toda a armadura de Deus, para que possam resistir ao inimigo no tempo do mal. Então, depois da batalha, vocês continuarão de pé e firmes. Assim, mantenham sua posição, colocando o cinto da verdade e a couraça da justiça. Como calçados, usem a paz das boas-novas, para que estejam inteiramente preparados. Em todas as situações, levantem o escudo da fé, para deter as flechas de fogo do maligno. Usem a salvação como capacete e empunhem a espada do Espírito, que é a palavra de Deus. Orem no Espírito em todos os momentos e ocasiões. Permaneçam atentos e sejam persistentes em suas orações por todo o povo santo.
Efésios 6.13-18

As tempestades da vida levam embora o perverso, mas o justo tem alicerce duradouro.
Provérbios 10.25

Sejam fortes no Senhor e em seu grande poder. Vistam toda a armadura de Deus, para que possam permanecer firmes contra as estratégias do diabo.
Efésios 6.10-11

6
Senhor, mostra-me como assumir o controle de minha mente

Lembro-me de certa sexta-feira à tarde, quando meu marido estava viajando e cada um de meus filhos tinha ido para a casa de um amigo passar a noite. Com todo mundo fora de casa, era uma oportunidade rara de eu ter algum tempo de silêncio e poder escrever bastante.

Para minha grande surpresa, porém, senti uma terrível solidão e tristeza depois que eles saíram. Pensei em tudo o que estava errado em minha vida, o que me fez ficar desesperadamente deprimida. Era tão horrível que eu não conseguia pensar em mais nada. Esses pensamentos me paralisaram a ponto de eu não ser capaz de ligar para ninguém, ir para lugar nenhum, pôr em dia a correspondência ou fazer qualquer serviço da casa. E, obviamente, acabei não escrevendo nada. Fiquei sentada no quarto com a Bíblia aberta no colo e chorando.

"Senhor, mostra-me o que há de errado comigo e o que devo fazer sobre isso", orei. "Vou jejuar até ouvir tua resposta ou até isso ser quebrado."

Jejuei durante todo o dia de sábado e até a noite. Por volta das quatro da manhã de domingo, acordei com uma profunda ansiedade em minha alma. Eu me levantei e comecei a ler a Bíblia. Quando meus olhos encontraram as palavras de Isaías sobre "louvores festivos em vez de desespero" (Is 61.3), soube naquele instante que estava lidando com um espírito de angústia. Não havia nada de errado comigo nem com minha vida, mas o inimigo estava tentando me fazer acreditar que havia.

Durante os vinte minutos seguintes, cantei louvores a Deus e falei sua Palavra em voz alta. Disse ao inimigo que se afastasse de mim e agradeci ao Senhor por me dar autoridade para fazer isso. Então, de modo absolutamente claro, senti o manto escuro e pesado da opressão espiritual sendo tirado de cima de mim. Aconteceu de maneira tão súbita e completa que me dei conta de que estava lidando com um ataque direto e específico do inimigo.

Ao refletir sobre isso, creio que esse ataque se deu pelo fato de eu estar no meio do processo de elaboração do livro *O poder da esposa que ora* e o inimigo estar tentando me fazer desistir. Mas aconteceu o contrário. Nos dias que se seguiram, tive uma nova visão para minha vida e para o futuro e renovei o compromisso de identificar as mentiras do inimigo e resistir a elas. Percebi que deveria ter percebido as mentiras dele no momento em que entraram em minha mente, em vez de considerá-las a verdade.

Assuma o controle

Uma grande parte do processo de enfrentar o inimigo de nossa alma é assumir o controle de nossa mente. Como a Bíblia diz, devemos aprender a levar cativo todo pensamento (2Co 10.5).

Para mim, como recém-convertida, foi uma revelação espantosa saber que não precisava dar atenção a todo pensamento que viesse a minha mente. Podia escolher ouvi-lo ou não. Muitos assassinos seriais relatam que ouviram vozes em sua cabeça que lhe diziam como matar, e só seguiram ordens.

Quando as pessoas não são ensinadas a discernir as vozes em sua mente, não reconhecem a voz do diabo. Ele é um enganador astuto que vem a cada uma de nós e tenta colocar mentiras em nossa mente. Precisamos estar preparadas para ele.

As mentiras em que acreditamos

Você já teve pensamentos que ficam se repetindo sem parar na mente como um velho disco riscado? Já lhe ocorreu algum pensamento que causasse uma sensação física, como dor no peito, frio na barriga, nó na garganta, fraqueza nos braços e nas pernas, lágrimas, irritação no rosto e pescoço? Sua mente é atormentada por pensamentos do tipo "e se", como "E se eu pulasse da sacada?" ou "E se eu batesse o carro naquele muro?" Já teve pensamentos do tipo "se ao menos", como "Se ao menos eu tivesse dito alguma coisa..."? Já teve pensamentos de autopunição, como: "Ninguém se preocupa comigo", "Sou uma fracassada", "Eu não valho nada", "Nada que eu faço dá certo"?

Se você já teve pensamentos como esses, saiba que não se trata de Deus dando-lhe uma revelação para sua vida. É o inimigo tentando assumir o controle de sua mente.

A vida tem muito sofrimento, mas com frequência sofremos sem necessidade por causa das mentiras em que acreditamos a respeito de nós mesmas e de nossas condições. Aceitamos como verdade as palavras que são colocadas em nossa mente pelo inimigo, querendo nos ver destruídas. Podemos ficar temerosas, deprimidas, solitárias, zangadas, em dúvida, confusas, inseguras, desesperadas, abatidas, preocupadas e cheias de autopiedade, tudo por causa das mentiras em que acreditamos. No entanto, podemos vencer cada uma dessas mentiras com a oração, a fé e a verdade da Palavra de Deus.

É preciso, porém, que você tenha consciência de que uma das táticas do inimigo é tentar tomar de você a Palavra de Deus. Ele a levará a questionar a Palavra de Deus, como fez com Eva no Jardim. "Será que Deus disse isso mesmo?" "Será que é isso mesmo que ele quer dizer?" "Será que Deus vai mesmo se importar se você fizer isso?" "Deus se preocupa mesmo com você?"

Em seguida, ele desmentirá a Palavra de Deus. "Deus não disse isso." "Deus não se importa com isso." "Deus não acha que você é assim tão valiosa." "Deus está deixando de lhe dar boas coisas."

Quando lhe vierem à mente pensamentos que comecem a questionar e contradizer a Palavra de Deus, é sinal de que você está sendo enganada por seu inimigo. Lembre-se: "Há caminhos que a pessoa considera corretos, mas que acabam levando à estrada da morte" (Pv 14.12). Certos pensamentos podem parecer corretos para você, mas quando você os coloca ao lado da Palavra de Deus, a mentira é exposta.

O engano é o plano contínuo de ataque do inimigo. Jesus disse que o diabo "foi assassino desde o princípio. Sempre odiou a verdade, pois não há verdade alguma nele. Quando ele mente, age de acordo com seu caráter, pois é mentiroso e pai da mentira" (Jo 8.44). O *único* poder que o diabo tem é o de levar as pessoas a acreditar nas mentiras dele. Se isso não acontecer, ele não tem poder de realizar seu trabalho.

Escolha seus pensamentos com cuidado

Você tem uma escolha quanto ao que aceitará ou não em sua mente. Você pode escolher levar cada pensamento cativo e ter em você "a mesma atitude demonstrada por Cristo Jesus" (Fp 2.5), ou pode permitir que o diabo a alimente com mentiras e manipule sua vida. Todo pecado começa com um pensamento na mente. "Pois, de dentro, do coração da pessoa, vêm maus pensamentos, imoralidade sexual, roubo, homicídio, adultério, cobiça, perversidade, engano, paixões carnais, inveja, calúnias, orgulho e insensatez" (Mc 7.21-22). Se você não assumir o controle de sua mente, o diabo assumirá.

É por isso que você deve ser diligente em monitorar o que permite que entre em sua mente. A que programas de TV você assiste? Que revistas e livros lê? Que músicas, programas de rádio ou CDs ouve? Eles enchem sua mente de pensamentos retos e alimentam seu espírito para que você se sinta enriquecida, esclarecida, em paz e abençoada, ou eles a desgastam, fazendo-a sentir-se vazia, confusa, ansiosa ou temerosa? "Pois Deus não é Deus de desordem, mas de paz" (1Co 14.33). Quando enchemos nossa mente da Palavra de Deus e de bons livros e revistas escritos por pessoas nas quais o Espírito de Deus habita e ouvimos músicas que o louvam e glorificam, não deixamos espaço para a propaganda do inimigo.

Se você quer determinar se seus pensamentos são do inimigo ou do Senhor, pergunte a si mesma: "Eu *escolheria* ter esses pensamentos?". Se a resposta for negativa, então provavelmente são do inimigo. Se, por exemplo, você está sentada na igreja e de repente visualiza o coral inteiro nu, reconheça de onde isso está vindo. Em vez de se martirizar por ter pensamentos impuros, diga ao inimigo que saia de sua cabeça, pois você não permitirá que sua alma seja depósito para o lixo dele. Diga-lhe que você tem "a mente de Cristo" e que não dará ouvidos a qualquer coisa que não esteja de acordo com ela (1Co 2.16).

A recusa a alimentar a iniquidade em seus pensamentos é parte do processo de resistir ao diabo. Quantas pessoas não conhecemos que deveriam ter feito isso e não fizeram?

Você não precisa conviver com a confusão ou opressão mental. Não precisa mais andar "como os gentios, levados por pensamentos vazios e inúteis. A mente deles está mergulhada na escuridão. Andam sem rumo, alienados da vida que Deus dá, pois são ignorantes e endureceram o coração para ele" (Ef 4.17-18). Em vez disso, você pode ter clareza e conhecimento. Mesmo que seu inimigo tente convencê-la de que seu futuro é tão desalentador quanto o dele ou de que você é um fracasso sem nenhum propósito, valor, dons ou capacidades, Deus diz exatamente o contrário. Creia em Deus e não dê ouvidos a mais nada.

– Minha oração a Deus –

Senhor, ajuda-me a nunca trocar tua verdade por uma mentira. Revela-me onde aceitei uma mentira como se fosse verdade. Ajuda-me a discernir claramente quando é o inimigo quem está falando. Não quero ter pensamentos tolos ou fúteis ou dar lugar a pensamentos que não te glorificarão (Rm 1.21). Não quero andar de acordo com meus próprios pensamentos (Is 65.2). Quero levar todo pensamento cativo e assumir o controle de minha mente.

Tua Palavra traz "à luz até os pensamentos e desejos mais íntimos" (Hb 4.12). Ao ler tua Palavra, que ela possa me revelar qualquer pensamento incorreto que haja em mim. Que tua Palavra esteja gravada de maneira tão profunda em minha mente que eu seja capaz de identificar uma mentira do inimigo no instante em que a ouvir. Espírito da Verdade, conserva-me livre do engano. Sei que tu me deste autoridade "sobre todo o poder do inimigo" (Lc 10.19) e, portanto, ordeno que o inimigo se afaste de minha mente. Recuso-me a ouvir mentiras.

Obrigada, Senhor, pois eu tenho "a mente de Cristo" (1Co 2.16). Quero que teus pensamentos sejam meus pensamentos. Mostra-me o ponto de minha mente que estou enchendo com coisas que não são retas. Ajuda-me a resistir e, no lugar delas, enche minha mente de pensamentos, palavras, músicas e imagens que glorifiquem a ti. Ajuda-me a pensar no que é verdadeiro, nobre, correto, puro, amável, admirável, excelente e digno de louvor (Fp 4.8). Aproprio-me do "autocontrole" que tu me deste (2Tm 1.7).

– As promessas de Deus para mim –

Não imitem o comportamento e os costumes deste mundo, mas deixem que Deus os transforme por meio de uma mudança em seu modo de pensar, a fim de que experimentem a boa, agradável e perfeita vontade de Deus para vocês.
ROMANOS 12.2

Embora sejamos humanos, não lutamos conforme os padrões humanos. Usamos as armas poderosas de Deus, e não as armas do mundo, para derrubar as fortalezas do raciocínio humano e acabar com os falsos argumentos. Destruímos todas as opiniões arrogantes que impedem as pessoas de conhecer a Deus. Levamos cativo todo pensamento rebelde e o ensinamos a obedecer a Cristo.
2CORÍNTIOS 10.3-5

Permitir que a natureza humana controle a mente resulta em morte, mas permitir que o Espírito controle a mente resulta em vida e paz.
ROMANOS 8.6

Livrem-se de sua antiga natureza e de seu velho modo de viver, corrompido pelos desejos impuros e pelo engano. Deixem que o Espírito renove seus pensamentos e atitudes e revistam-se de sua nova natureza, criada para ser verdadeiramente justa e santa como Deus.
EFÉSIOS 4.22-24

Tu guardarás em perfeita paz todos que em ti confiam, aqueles cujos propósitos estão firmes em ti.
ISAÍAS 26.3

7
Senhor, governa todas as áreas de minha vida

Conheço um rapaz que tem um coração dedicado a Deus e um grande talento para liderar cultos e ensinar a Palavra. No entanto, ele não consegue entregar sua vida completamente ao Senhor. Continua a viver do jeito dele, fazendo suas coisas, e está sempre frustrado porque até agora nada deu certo em sua vida — não apenas sua vida pessoal mas também profissional e financeira. Sei que, se ele apenas dissesse: "O que tu quiseres, Senhor, eu farei", e verdadeiramente vivesse de acordo com isso, Deus o usaria de modo poderoso, e todas as áreas de sua vida seriam abençoadas.

Por que algumas pessoas parecem nunca crescer no Senhor? Por que elas saem de uma calamidade para outra, sem conseguir fazer outra coisa a não ser sobreviver? Por que elas raramente experimentam, se é que conseguem, a alegria do Senhor? Os avanços espirituais? Um relacionamento mais profundo com Deus? A liberdade de exercer seus dons? Por que não conseguem ir adiante e alcançar os propósitos e o destino que Deus tem para elas?

A resposta, creio eu, encontra-se na palavra "entrega". Elas não entregaram a vida completamente a Deus. Não colocaram Jesus como Senhor de sua vida.

Entregar tudo significa estar disposta a dizer: "Senhor, o que tu quiseres que eu faça, eu farei. Digo sim para qualquer coisa que me pedires, mesmo que isso signifique morrer para mim mesma e para meus desejos. Abrirei mão das coisas da carne que quero, a fim de ter mais de ti em minha vida. Irei à igreja quando minha vontade for permanecer em casa. Irei jejuar quando minha vontade for comer. Irei orar quando preferir ir para a cama. Irei ler tua Palavra quando preferir assistir à TV. Irei contribuir quando preferir gastar o dinheiro comigo mesma. Irei adorar-te e louvar-te como minha primeira reação e não como meu último recurso. Farei o que ordenares, a fim de agradar-te e alcançar tudo o que tu tens para mim". Essa atitude de entrega significa colocar Deus em primeiro lugar e submeter-se ao senhorio dele. E faz toda a diferença em nossa vida.

Jesus é Senhor, quer você o declare, quer não. Isso porque "Deus o elevou ao lugar de mais alta honra e lhe deu o nome que está acima de todos os nomes, para que, ao nome de Jesus, todo joelho se dobre, nos céus, na terra e debaixo da terra, e toda língua declare que Jesus Cristo é Senhor, para a glória de Deus, o Pai" (Fp 2.9-11). No entanto, ele não é apenas Senhor do universo, ele é Senhor de nossa vida individual também. O fato de você reconhecer isso ou não vai determinar o sucesso e a qualidade de sua vida. Se não declaramos pessoalmente que Jesus é Senhor de nossa vida, isso mostra que não somos controladas pelo Espírito. "Ninguém pode dizer que Jesus é Senhor a não ser pelo Espírito Santo" (1Co 12.3). Essa atitude revela que ainda somos controladas pela carne.

Como tu quiseres, Senhor

Você se lembra dos filmes antigos de faroeste, em que o

mocinho (de camisa branca) pega o bandido (de camisa preta), aponta a arma para ele e diz: "Mãos pra cima!" (Não seria tão ameaçador se ele dissesse: "Levante as mãos!".)

O bandido larga tudo, levanta as mãos e diz: "Eu me rendo". Pois bem, é justamente esse tipo de entrega que Deus deseja. Só que você não é bandida, nem Deus está apontando uma arma para você. Está apontando o dedo, porém não é para acusá-la ou envergonhá-la. Está apontando para você de maneira amorosa, como ele faria se a estivesse escolhendo para o time dele. Está dizendo: "Você! Quero você! Entregue-se a mim para que eu possa lhe dar tudo o que tenho para você".

Se largássemos tudo e disséssemos: "Eu me rendo, Senhor. Eu me entrego. Fica com tudo. Farei o que quiseres", nossa vida seria melhor a cada dia.

Por que é tão difícil simplesmente dizer: "Como quiseres, Senhor. Farei tudo o que pedires"? É porque somos obstinadas e temos medo do que Deus pode pedir de nós. Achamos que ele pode pedir alguma coisa que vai nos magoar. Além disso, não é só uma questão de dizer: "Jesus é o Senhor". Devemos *fazer* o que ele *diz*. Jesus disse: "Por que vocês me chamam 'Senhor! Senhor!', se não fazem o que eu digo?" (Lc 6.46). Duvidamos que o pedido de Deus para nós seja para nos abençoar ainda mais. Só que isso é errado. Deus só deseja nos ver no time vencedor.

Se você sente que não está fazendo nenhum progresso na vida, verifique se, de fato, você se entregou ao Senhor. Você deu a Jesus aquele lugar de senhorio? Se não deu, levante as mãos e dê o primeiro passo.

Jesus disse: "Se não tomar sua cruz e me seguir, não pode ser meu discípulo" (Lc 14.27). Você não pode carregar a cruz de Cristo a menos que tenha entregado sua vida a ele. Uma vida entregue a Deus, inteiramente governada por ele, pode ser usada poderosamente para os propósitos de seu reino. Deus não quer apenas uma parte de você. Ele quer tudo. Ore para que você dê a Deus tudo o que ele quer.

– Minha oração a Deus –

Senhor, curvo-me diante de ti no dia de hoje e declaro que és Soberano sobre todas as áreas de minha vida. Entrego a ti meu ser e minha vida e convido-te a ser Senhor de todas as partes de minha mente, alma, corpo e espírito. Eu te amo de todo o coração, toda a alma e todo o entendimento. Comprometo-me a confiar em ti de todo o meu ser. Declaro que tu és Senhor de todas as áreas de minha vida hoje e todos os dias.

Capacita-me para que eu negue a mim mesma a fim de tomar minha cruz diariamente e seguir-te (Lc 9.23). Quero ser tua discípula conforme tu disseste em tua Palavra (Lc 14.27). Ajuda-me a fazer o que for preciso. Quero perder minha vida em ti, para que eu possa salvá-la (Lc 9.24). Ensina-me o que isso significa. Fala comigo de modo que eu compreenda.

Ajuda-me a dizer "sim" imediatamente quando tu dás direção para minha vida. Meu desejo é agradar-te e não reter nada para mim. Entrego a ti meus relacionamentos, minhas finanças, meu trabalho, meu lazer, minhas decisões, meu tempo, meu corpo, minha mente, minha alma, meus desejos e meus sonhos. Coloco-os todos em tuas mãos, a fim de que possam ser usados para tua glória. Declaro no dia de hoje que fui crucificada com Cristo. "Assim, já não sou eu quem vive, mas Cristo vive em mim. Portanto, vivo neste corpo terreno pela fé no Filho de Deus, que me amou e se entregou por mim" (Gl 2.20). Governa todas as áreas de minha vida, Senhor, e guia-me para tudo o que tens para mim.

– As promessas de Deus para mim –

Se alguém quer ser meu seguidor, negue a si mesmo, tome diariamente sua cruz e siga-me. Se tentar se apegar à sua vida, a perderá. Mas, se abrir mão de sua vida por minha causa, a salvará.
Lucas 9.23-24

Se vivemos, é para honrar o Senhor. E, se morremos, é para honrar o Senhor. Portanto, quer vivamos, quer morramos, pertencemos ao Senhor.
Romanos 14.8

E agora, assim como aceitaram Cristo Jesus como Senhor, continuem a segui-lo. Aprofundem nele suas raízes e sobre ele edifiquem sua vida. Então sua fé se fortalecerá na verdade que lhes foi ensinada, e vocês transbordarão de gratidão.
Colossenses 2.6-7

Confie no Senhor de todo o coração; não dependa de seu próprio entendimento. Busque a vontade dele em tudo que fizer, e ele lhe mostrará o caminho que deve seguir.
Provérbios 3.5-6

Portanto, humilhem-se sob o grande poder de Deus e, no tempo certo, ele os exaltará. Entreguem-lhe todas as suas ansiedades, pois ele cuida de vocês.
1Pedro 5.6-7

8
Senhor, aprofunda-me em tua Palavra

Há algum tempo, fui hospitalizada para uma cirurgia de emergência. Fiquei internada duas semanas e depois passei mais seis semanas com uma enfermeira em casa. Levou mais de um ano para que eu voltasse quase ao normal. (Tratarei disso com mais detalhes num capítulo posterior.)

Durante o tempo no hospital estava doente, fraca e com dores demais para ler a Palavra. Fiquei ligada a um aparelho, com tubos por toda a parte em meu corpo, de modo que não podia me sentar nem me virar. Isso significava que segurar uma Bíblia pesada estava fora de cogitação. Pelo fato de eu precisar de cuidados 24 horas por dia, minha irmã organizou um esquema para que meu marido, meus filhos e amigas mais próximas passassem um tempo determinado comigo. Cada pessoa fazia um turno de três horas em dias diferentes, exceto minha filha, que pegou um turno de doze horas, das oito da noite às oito da manhã do dia seguinte. Foi extremamente difícil para ela, pois naquela época estava na faculdade e precisava se levantar para ficar comigo a cada duas horas durante a noite e estudar o dia todo. Além de todas as outras coisas que essas pessoas amorosas fizeram em meu favor, dependi delas para ler a Palavra de Deus para mim.

Quando voltei para casa com a enfermeira, precisava ficar isolada de todos, exceto de meu marido e filhos, pois corria risco de pegar uma infecção. Nesse tempo, ninguém pôde ler a Bíblia para mim, porque todos estavam muito ocupados. (Não se trata de crítica; cada um deles tinha de cuidar de mim, fazer as tarefas que normalmente faço, e cuidar do próprio trabalho integral.) Foi muito pesado para todos.

Assim, durante o tempo que passei convalescendo em casa, ouvia fitas da Bíblia. No entanto, não era a mesma coisa que ler. Assimilo melhor a informação quando leio do que quando ouço. Além disso, na fita o narrador fala sem pausas. Percebi que eu parava para pensar no versículo que havia acabado de ouvir e então não prestava atenção nos dez seguintes. Normalmente, quando leio a Palavra sozinha, gosto de ler cada versículo devagar, linha por linha, sobretudo aqueles que falam ao meu coração naquele momento. Deixo meu ser interior digerir cada palavra e peço a Deus que me ensine coisas novas que eu não tenha visto.

Mesmo depois que comecei a me recuperar e podia sentar-me para ler a Palavra sozinha, minha mente ainda estava tão confusa e meus olhos tão embaçados pelos analgésicos e medicamentos que precisava tomar todos os dias, que era difícil absorver o que estava lendo. Sabia que o problema era *comigo*, mas a Bíblia não estava falando ao meu coração como antes, e eu me sentia desamparada. Para mim, ler a Palavra havia sido sempre vivificante, mas agora parecia mais um dever. Eu lia a Bíblia porque sabia que precisava.

Outro fator foi que não pude ir à igreja durante cinco meses, de modo que não estava aprendendo a Palavra ouvindo-a do púlpito ou de um estudo bíblico. Na época, com três décadas de vida cristã, havia ficado pouco mais de duas semanas sem esse tipo de ensinamento. Ouvia fitas de sermões, mas minha mente divagava e, com frequência, pegava no sono antes do final.

Por não me alimentar regularmente da Palavra como costumava fazer, comecei a me sentir perdida. Tornou-se cada vez mais difícil tomar decisões, porque não ouvia a voz de Deus com tanta clareza quanto antes. Era difícil escrever, pois não conseguia me concentrar naquilo que Deus queria que eu dissesse. Mas, acima de tudo, eu me sentia vazia por dentro. Só quando *orei* pelo problema em si é que experimentei um avanço nessa área. Orei: "Senhor, preciso que tua Palavra se torne viva dentro de mim outra vez. Faze com que isso aconteça, Pai. Dá clareza a minha mente e alma. Ensina-me coisas novas. Ajuda-me a aprofundar-me em tua Palavra mais do que nunca".

Cerca de uma semana depois que fiz essa oração simples, Deus me respondeu. A Bíblia tornou-se nova e empolgante outra vez. Encontrei nova revelação, novo entendimento. Decidi que, se Deus respondeu àquela oração simples, então por que não devemos orar *toda* vez que lemos a Bíblia e pedir: "Senhor, aprofunda-me em tua Palavra"? O tempo que passamos com a Palavra de Deus é um dos aspectos mais importantes de nossa vida e deve ser motivo de oração.

O pão de cada dia para nossa alma

A Palavra de Deus é alimento para nossa alma. Não podemos viver sem ela. Está escrito: "Uma pessoa não vive só de pão, mas de toda palavra que vem da boca de Deus" (Mt 4.4). Se não somos alimentadas continuamente com a Palavra de Deus, morremos de fome espiritual.

Naqueles meses que passei no hospital e em convalescência, fiquei admirada com quanto da Palavra acabei esquecendo. Sei que os medicamentos e analgésicos que estava tomando contribuíram muito para isso, mas fiquei chocada por não conseguir me lembrar de passagens bíblicas que costumava citar com tanta facilidade. Depois de todos aqueles anos lendo a Bíblia, como pude perder tanta coisa tão rapidamente? É claro que há trechos das Escrituras que estão gravados em minha mente e alma, e provavelmente poderia citá-los até dormindo, mas naquela ocasião me dei conta de como é importante que cada uma de nós *guarde* a Palavra de Deus, depositada em nossa alma. "Portanto, precisamos prestar muita atenção às verdades que temos ouvido, para não nos desviarmos delas" (Hb 2.1). Não nos damos conta da rapidez com que pode ser tomada de nós.

Seja uma praticante da Palavra

Não importa há quanto tempo você vem caminhando com Deus, ele sempre tem coisas novas para você aprender. Pode ser uma nova dimensão de algo que você já sabe ou pode ser algo que você nunca viu. De qualquer modo, não basta apenas *aprender* a verdade, você deve *praticá-la*. "Não se limitem, porém, a ouvir a palavra; ponham-na em prática. Do contrário, só enganarão a si mesmos. Pois, se ouvirem a palavra e não a praticarem, serão como alguém que olha no espelho, vê a si mesmo, mas, assim que se afasta, esquece como era sua aparência" (Tg 1.22-24). *Se não praticamos o que a Palavra diz, não apenas nos esquecemos dela, mas ao longo do processo nos esquecemos de quem nós somos.*

Sempre que você ler a Palavra de Deus, é essencial pedir ao Senhor que a ajude a pô-la em prática em sua vida. Dê um passo indicativo de que você crê naquilo que leu e que viverá de acordo. Se não fizer isso, o que você sabe da Palavra lhe será tomado. É possível *ouvir* a Palavra, *ler* a Palavra e até *ensinar* a Palavra e, ainda assim, não ser transformada nem afetada por ela. A Bíblia nos ensina, convence, enriquece, cura, adverte e expõe nosso coração. No entanto, temos de pôr a Palavra em prática. É por isso que você precisa pedir a Deus que lhe fale cada vez que lê a Palavra dele e lhe mostre o que deve fazer em resposta a ela.

Dez bons motivos para ler a Palavra de Deus

Se você tem dificuldade em passar um tempo diário com a Palavra de Deus, eis algumas das muitas razões que devem inspirá-la a ler a Bíblia:

1. *A fim de saber para onde você está indo.* Você não pode prever o futuro nem saber *exatamente* qual é seu rumo, mas a Palavra de Deus a guiará. "Firma meus passos conforme a tua palavra, para que o pecado não me domine" (Sl 119.133).

2. *A fim de ter sabedoria.* A sabedoria começa a crescer em você a partir do conhecimento da Palavra de Deus. "A lei do SENHOR é perfeita e revigora a alma. Os decretos do SENHOR são dignos de confiança e dão sabedoria aos ingênuos" (Sl 19.7).

3. *A fim de encontrar sucesso.* Quando você vive de acordo com os ensinamentos da Bíblia, a vida funciona. "Relembre continuamente os termos deste Livro da Lei. Medite nele dia e noite, para ter certeza de cumprir tudo que nele está escrito. Então você prosperará e terá sucesso em tudo que fizer" (Js 1.8).

4. *A fim de viver em pureza.* Para desfrutar a presença do Senhor, é preciso que você tenha uma vida de santidade e pureza, mas você não pode tornar-se pura sem ser purificada pela Palavra de Deus. "Como pode o jovem se manter puro? Obedecendo à tua palavra" (Sl 119.9).

5. *A fim de obedecer a Deus.* Se você não sabe quais são as leis de Deus, como pode obedecer-lhes? "Ensina-me teus

decretos, ó SENHOR, e eu os guardarei até o fim. Dá-me entendimento e obedecerei à tua lei; de todo o coração a porei em prática. Faze-me andar em teus mandamentos, pois neles tenho prazer" (Sl 119.33-35).

6. *A fim de ter alegria.* Você não pode ficar livre da ansiedade e da inquietação sem a Palavra de Deus em seu coração. "Os preceitos do SENHOR são justos e alegram o coração. Os mandamentos do SENHOR são límpidos e iluminam a vida" (Sl 19.8).

7. *A fim de crescer na fé.* Você não pode crescer na fé sem ler e ouvir a Palavra de Deus. "Portanto, a fé vem por ouvir, isto é, por ouvir as boas-novas a respeito de Cristo" (Rm 10.17).

8. *A fim de encontrar livramento.* Você não saberá do que precisa ser liberta a menos que estude a Palavra de Deus e descubra. "Vocês são verdadeiramente meus discípulos se permanecerem fiéis a meus ensinamentos. Então conhecerão a verdade, e a verdade os libertará" (Jo 8.31-32).

9. *A fim de ter paz.* Deus lhe dará uma paz que o mundo não pode dar, mas primeiro você precisa encontrá-la na Palavra dele. "Os que amam tua lei estão totalmente seguros e não tropeçam" (Sl 119.165).

10. *A fim de distinguir o bem do mal.* Nos dias de hoje tudo se tornou muito relativo. Como você pode saber sem sombra de dúvida o que é certo e o que é errado sem a Palavra de Deus? "Guardei tua palavra em meu coração, para não pecar contra ti" (Sl 119.11).

Em busca do ouro

Deus tem pepitas de ouro e diamantes por toda a parte em sua Palavra, mas devemos desenterrá-los. E, assim como as pedras e os metais preciosos ao serem tirados do solo ou da rocha, os tesouros da Palavra de Deus precisam ser polidos e refinados em nós, a fim de que tenham o brilho que são capazes de revelar. Toda vez que você meditar em uma das promessas de Deus em seu coração, ela se tornará mais refinada e polida e brilhará com maior intensidade em sua alma.

Uma das pedras de valor inestimável que você encontrará na Palavra de Deus é a voz dele. Isso porque ele nos fala por intermédio de sua Palavra, enquanto nós a lemos e ouvimos. Na verdade, não temos como realmente aprender a reconhecer a voz de Deus em nossa alma se não o ouvirmos falar conosco primeiro em sua Palavra. Quanto mais você a ouve, mais fácil fica de reconhecê-la e menores são as probabilidades de aceitar uma falsificação.

Em inúmeras ocasiões no início de minha caminhada com o Senhor, quando ainda estava sofrendo de depressão e ansiedade, voltei-me para sua Palavra. Eu só precisava ler a Bíblia por alguns minutos para me sentir calma e esperançosa outra vez. Isso porque a Palavra coloca nossa mente e alma em ordem e nos ajuda a pensar com clareza sobre as coisas. Ela nos afasta dos pensamentos destrutivos e permite que desfrutemos uma sensação de bem-estar. Ela nos dá esperança e nos mantém no rumo certo. Ela oferece uma fundação sólida sobre a qual podemos construir uma vida de plenitude. Peça a Deus que se encontre com você na Palavra todos os dias. Ele está ansioso para fazer isso e deseja que você também o faça.

Não há maneira de achegar-se a Deus, ter um coração puro e reto diante dele, ser uma pessoa que perdoa, andar em obediência aos caminhos dele, assumir o controle de sua mente, enfrentar o inimigo ou fazer de Jesus o Senhor de sua vida a menos que você passe um tempo com a Palavra de Deus todos os dias. Ela é sua bússola, seu guia. Sem ela, você não pode chegar aonde precisa ir.

– Minha oração a Deus –

Senhor, agradeço-te por tua Palavra. "Tua palavra é lâmpada para meus pés e luz para meu caminho" (Sl 119.105). É o alimento para minha alma, e não posso viver sem ela. Capacita-me para que eu verdadeiramente compreenda seu significado mais profundo. Dá-me mais entendimento do que nunca e revela-me os tesouros escondidos nela. Peço-te que eu tenha um coração disposto a aprender e aberto para o que tu queres que eu saiba. Desejo receber tua instrução. Ensina-me para que eu possa aprender.

Ajuda-me a ser diligente em colocar tua Palavra em minha alma fielmente todos os dias. Mostra-me onde estou perdendo tempo que poderia ser mais bem usado lendo tua Palavra. Dá-me a capacidade de memorizá-la. Grava-a em minha mente e meu coração. Faze com que ela se torne parte de mim. Transforma-me à medida que a leio.

Senhor, não quero ser apenas uma ouvinte de tua Palavra. Mostra-me como ser também uma praticante de tua Palavra. Capacita-me para que eu possa responder da maneira como devo e para que eu te obedeça. Mostra-me quando não estou fazendo o que ela ordena. Ajuda-me a aplicar meu coração a teu ensino e meus ouvidos a tuas palavras de conhecimento (Pv 23.12). Que tua Palavra corrija minhas atitudes e me faça lembrar meu propósito na terra. Que ela possa purificar meu coração e dar-me esperança de que sou capaz de superar minhas limitações. Que ela aumente minha fé e me faça lembrar de quem tu és e do quanto tu me amas. Que ela traga a segurança de saber que minha vida está em tuas mãos e que tu suprirás todas as minhas necessidades.

Obrigada, Senhor, pois quando olho para tua Palavra encontro a ti. Ajuda-me a conhecer-te melhor por intermédio dela. Dá-me ouvidos para reconhecer tua voz falando a mim cada vez que a ler (Mc 4.23). Não quero jamais passar reto pelo caminho que tu estás me mostrando. Quando ouço tua voz e te sigo, minha vida é plena. Quando saio do caminho que tu tens para mim, minha vida é vazia. Guia-me, aperfeiçoa-me e enche-me com tua Palavra neste dia.

— As promessas de Deus para mim —

Pois a palavra de Deus é viva e poderosa. É mais cortante que qualquer espada de dois gumes, penetrando entre a alma e o espírito, entre a junta e a medula, e trazendo à luz até os pensamentos e desejos mais íntimos.
HEBREUS 4.12

Se, contudo, observarem atentamente a lei perfeita que os liberta, perseverarem nela e a puserem em prática sem esquecer o que ouviram, serão felizes no que fizerem.
TIAGO 1.25

Feliz é aquele que não segue o conselho dos perversos, não se detém no caminho dos pecadores, nem se junta à roda dos zombadores. Pelo contrário, tem prazer na lei do SENHOR e nela medita dia e noite. Ele é como a árvore plantada à margem do rio, que dá seu fruto no tempo certo. Suas folhas nunca murcham, e ele prospera em tudo que faz.
SALMOS 1.1-3

Quem obedece à palavra de Deus mostra que o amor que vem dele está se aperfeiçoando em sua vida. Desse modo, sabemos que estamos nele.
1João 2.5

Quem ouve a instrução prospera; quem confia no Senhor é feliz.
Provérbios 16.20

9
Senhor, instrui-me enquanto coloco minha vida em ordem

Tabita era uma *discípula* de Cristo. Isso significa que era uma cristã que seguia fielmente os ensinamentos de Jesus. Ela também fazia muitas obras de caridade que beneficiavam outras pessoas. Como resultado, era extremamente querida.

Algum tempo depois de Jesus ter sido crucificado e ter ressuscitado, Tabita ficou doente e morreu. Vários homens foram em busca de Pedro, um dos doze apóstolos, para levá-lo aonde o corpo de Tabita estava sendo preparado para o sepultamento. Quando Pedro chegou a sua casa, foi para o cenáculo onde ela havia sido colocada. Pediu às mulheres que estavam chorando sobre ela que o deixassem a sós naquele cômodo, e então ele se ajoelhou para orar.

Quando Pedro terminou de orar, virou-se para o corpo da mulher que havia falecido e disse: "Tabita, levante-se". No mesmo instante ela abriu os olhos e sentou-se. Estendendo a mão para ela, Pedro ajudou-a a se levantar. Quando todas as pessoas viram que Tabita havia sido trazida de volta dos mortos, muitos creram no Senhor (At 9.36-42).

Não se sabe mais nada sobre Tabita, mas, por esse breve relato de sua vida, fica claro que ela era uma mulher que tinha suas prioridades em ordem. Ela amava o Senhor. Amava os outros. Tinha o coração de uma serva. Vivia de modo que agradava a Deus e abençoava as pessoas. Todas essas informações sobre ela encontram-se numa única palavra: "discípula".

Quando vieram as dificuldades sobre a vida de Tabita e ela ficou abatida a ponto de morrer, Deus enviou um de seus fiéis discípulos para orar por ela e trazê-la de volta à vida. Será que isso teria acontecido se ela fosse cristã só de nome, vivendo à margem daquilo que Deus desejava para a vida dela? Será que isso teria acontecido se ela não amasse a Deus? Não amasse os outros? Não tivesse o coração de uma serva? Não oferecesse de si? Não obedecesse? Creio que não. A vida dela estava em ordem, e Deus a abençoou por isso. Deu-lhe, ainda, uma segunda chance. É isso que ele deseja fazer por nós, se o colocarmos em primeiro lugar.

Prioridade número um

Não podemos ter uma vida bem-sucedida sem que tenhamos prioridades corretas. No entanto, algumas de nós tentam fazer isso todos os dias. As prioridades corretas não são algo que você consiga identificar sozinha. É preciso que sejamos guiadas pelo Espírito Santo a fim de compreender quais devem ser.

Nossas duas prioridades mais importantes vêm diretamente da Palavra de Deus. Jesus nos falou sobre elas quando disse: "'Ame o Senhor, seu Deus, de todo o seu coração, de toda a sua alma e de toda a sua mente'. Este é o primeiro e o maior mandamento. O segundo é igualmente importante: 'Ame o seu próximo como a si mesmo'" (Mt 22.37-39). Não há nada mais claro do que isso. *Se você guardar essas duas maiores prioridades — amar a Deus e amar o próximo —, elas servirão de guia para determinar todas as outras prioridades de sua vida.*

Seu relacionamento com Deus deve ser sempre a prioridade número um, acima de todas as coisas. O Senhor diz: "Não tenha outros deuses além de mim" (Êx 20.3), e ele fala sério. Deus quer sua atenção *exclusiva*. Quando você o buscar antes de tudo a cada dia e lhe pedir que a ajude a colocar sua vida em ordem, ele o fará. Sei por experiência própria, e estou certa de que você também sabe, que quando não buscamos a Deus em primeiro lugar nossa vida foge do controle. Como resultado, nossa vida começa a *nos* controlar, em vez de nós *a* controlarmos.

Deus é um Deus ordeiro. Podemos ver isso ao olhar para o universo. Nele, nada é aleatório ou acidental. E, de acordo com a vontade de Deus, nossa vida também não deve ser. Sua vontade é que "tudo seja feito com decência e ordem" (1Co 14.40). Quando orarmos a ele sobre isso, ele nos ajudará a colocar tudo em ordem. Ele nos mostrará como nos alinharmos sob sua devida autoridade, para que fiquemos sob sua proteção. Isso é essencial para que alcancemos tudo o que Deus tem para nós.

A questão da submissão

A submissão é algo que você *decide* fazer, não algo que alguém *força* você a fazer. A palavra "submeter" implica "submeter-se". É uma atitude do coração. Ter um coração submisso significa que você está *disposta* a submeter-se e a alinhar-se com a vontade de Deus.

Nossa primeira prioridade na submissão deve ser sempre a de nos sujeitarmos a Deus (Tg 4.7). Isso significa que você não tem de se sujeitar aos desejos de alguém que lhe pede para fazer algo contrário aos mandamentos de Deus. Você pode ter um coração submisso e ainda assim ser capaz de determinar limites quando aquilo que lhe está sendo pedido é uma violação de sua consciência e das leis divinas.

Por exemplo, se uma pessoa investida de autoridade sobre sua vida ordenar que você faça algo errado, ou se ela lhe disser ou fizer algo que seja inadequado e incorreto aos olhos de Deus, você deve recusar-se a participar desse ato e declará-lo errado. No entanto, não precisa gritar para a pessoa: "Seu idiota! Seu tolo! Qual é seu problema? Afaste-se de mim, Satanás!". Em vez disso, dê uma explicação respeitosa como: "Com todo o respeito, creio que seu pedido vai contra as leis divinas, e não posso cumpri-lo de consciência tranquila, sabendo que traria o julgamento de Deus sobre nós dois", ou "Isso que você acabou de dizer e fazer comigo foi ofensivo aos olhos de Deus, e devo dizer-lhe que esse comportamento impróprio não faz bem a nenhum de nós".

A diferença entre ter ou não um coração submisso é que na primeira hipótese você acumulará bênçãos e na segunda, encontrará dificuldades.

O próprio Jesus era submisso a Deus. Sem dúvida as prioridades dele estavam em ordem. Deus diz que este é seu desejo: "Tenham a mesma atitude demonstrada por Cristo Jesus. Embora sendo Deus, não considerou que ser igual a Deus fosse algo a que devesse se apegar. Em vez disso, esvaziou a si mesmo; assumiu a posição de escravo e nasceu como ser humano. Quando veio em forma humana, humilhou-se e foi obediente até a morte, e morte de cruz" (Fp 2.5-8). É isso que eu chamo de submissão! Se havia alguém que talvez não precisasse estar em perfeita submissão, esse alguém era Jesus. No entanto, a fim de realizar o propósito de Deus para sua vida, ele foi submisso à vontade do Pai, a ponto de sofrer de maneira inconcebível e morrer. Que modelo para todos nós!

Quando a confiança é traída

Muitas mulheres têm problemas com a submissão, por sua confiança ter sido traída, ou no passado terem sido magoadas quando se submeteram a alguém. Ninguém quer ser capacho ou objeto de abuso de outra pessoa. Deus também não quer isso, tampouco pede que você seja um robô sem raciocínio próprio. É por isso que você deve orar por sabedoria sobre essa questão. Trata-se de um assunto delicado, e você precisa discernir o que o Senhor está lhe dizendo.

Para aquelas mulheres que tiveram uma experiência terrível com a submissão, gostaria de encorajá-las. Deus não está pedindo que você seja tola, que sacrifique sua sanidade por um princípio ou sofra nas mãos de uma pessoa abusiva. Ele lhe dará sabedoria quando você pedir. Se você se vir seguindo alguém que desobedece à Palavra de Deus e às santas leis divinas, sem falar na desobediência a sua própria consciência, não estará sendo submissa. Estará sendo burra. Não se deixe levar por isso.

Soube de uma mulher que se sujeitou a um marido abusivo, e ele acabou matando-a. Ela não possuía discernimento espiritual, pois não colocava Deus em primeiro lugar nem o buscava para saber o que fazer. Em vez de fazer o que era preciso para encontrar ajuda, ela permaneceu naquele relacionamento de violência até que se tornasse uma tragédia. Isso *não* é submissão, é insensatez.

Soube de outra mulher que não se submetia ao marido de modo algum e acabou perdendo a família e o lar. Como foi violentada sexualmente por um líder de sua igreja quando era adolescente, nem cogitava confiar em qualquer homem de forma a submeter-se a ele.

É preciso que haja um equilíbrio, e ele só pode ser encontrado ao sujeitar-se *primeiramente a Deus*. Peça que ele a ajude a discernir exatamente como e a quem você deve ser submissa. Não se submeta sem visão nem conhecimento. Saiba o que está fazendo. Quando o desejo de seu coração é fazer o que é certo e estar dentro da ordem correta, Deus a ajudará a encontrar esse equilíbrio perfeito.

O devido lugar

A Bíblia diz que devemos nos sujeitar às pessoas investidas de autoridade designadas por Deus em nossa igreja, em nossa família, em nosso trabalho e em nosso governo. A fim de estarmos dentro da devida ordem e para que nossa vida corra bem, é preciso estarmos arraigadas numa igreja. Ela nos dá uma base de operação. Sem ela, não conseguimos ir tão longe quanto Deus deseja.

Cada igreja tem característica e propósito singulares, e você não será feliz até que encontre aquela que Deus tem para você. Isso não significa que você deva ir a uma igreja diferente a cada semana até achar uma perfeita que a faça completamente feliz. Não existem igrejas assim. Afinal, elas são constituídas de pessoas imperfeitas como nós. Significa, sim, que você precisa pedir a Deus que lhe mostre onde se encontra sua família espiritual.

Quando você estiver na igreja que deva estar, reconhecerá a voz do pastor como uma importante autoridade espiritual em sua vida. De novo, é preciso que você tenha sabedoria e direção do Senhor. Se as figuras de autoridade em sua igreja saírem da linha e se houver imoralidade, corrupção financeira, ensinamentos não bíblicos ou pecado, você não deve se sujeitar a esse tipo de liderança. Peça a Deus que a afaste de relações que não sejam santas.

Todas nós precisamos de um pastor, de um líder cristão forte ou de um mentor que fale a verdade para nossa vida. Deus lhe dará discernimento sobre quem é essa pessoa. Não me entenda mal, não se trata de ter um guru. A autoridade espiritual em sua vida é um *mensageiro* de Deus, não alguém que deve ser adorado no lugar de Deus. Também não importa se essa pessoa é homem ou mulher. A Bíblia diz: "Não há mais judeu nem gentio, escravo nem livre, homem nem mulher, pois todos vocês são um em Cristo Jesus" (Gl 3.28). Trata-se de ter alguém em sua vida para lhe dizer a verdade em amor e apoiá-la com suas orações.

Além da submissão a Deus e a outras autoridades designadas em sua vida, você deve ter um relacionamento correto com outras pessoas. "Sujeitem-se uns aos outros por temor a Cristo" (Ef 5.21). Para submeter-se a outros é necessário amá-los como a si mesma. Essa é a chave. Quando você ama a Deus em primeiro lugar e depois o próximo, todas as outras prioridades de sua vida ocuparão o devido lugar, e você estará na ordem correta. Quando você pedir a Deus que lhe mostre claramente quais devem ser suas prioridades, ele lhe mostrará.

– Minha oração a Deus –

Senhor, peço-te que me ajudes a pôr minha vida na devida ordem. Desejo sempre colocar-te em primeiro lugar acima de todas as outras coisas em minha vida. Ensina-me como amar-te de todo o coração, de toda a mente e de toda a alma. Mostra-me quando não estou fazendo isso. Não quero ter nenhum outro deus além de ti em minha vida. Mostra-me se tenho adorado algum ídolo. Meu desejo é servir a ti e a mais ninguém. Ajuda-me a viver de acordo com esse propósito.

Dá-me um coração submisso. Ajuda-me a submeter-me às autoridades governantes e às pessoas certas em minha família, meu trabalho e minha igreja. Mostra-me quais devem ser as autoridades espirituais corretas em minha vida. Faze com que eu crie raízes na igreja que desejas para mim. Ajuda-me a estar devidamente alinhada em todas as áreas de minha vida, sujeitando-me de boa vontade a outros quando devo fazê-lo. Mostra-me claramente como e a quem eu devo ser submissa. Dá-me discernimento e sabedoria sobre isso. Mostra-me quando não estou me submetendo às pessoas certas da maneira correta.

Sei que, se minha vida não estiver dentro da ordem correta, não receberei as bênçãos que tu tens para mim. Contudo, sei também que, se eu te buscar em primeiro lugar, tudo de que preciso será acrescentado (Mt 6.33). No dia de hoje, eu te busco em primeiro lugar e peço-te que me capacites para que eu coloque minha vida em perfeita ordem. Que eu jamais venha a sair da cobertura de proteção espiritual que tu colocaste em minha vida.

— As promessas de Deus para mim —

Busquem, em primeiro lugar, o reino de Deus e a sua justiça, e todas essas coisas lhes serão dadas.
MATEUS 6.33

*Quem se apegar à própria vida a perderá; mas quem abrir mão
de sua vida por minha causa a encontrará.*
MATEUS 10.39

*E todos vocês vistam-se de humildade no relacionamento uns
com os outros. Pois, "Deus se opõe aos orgulhosos, mas concede
graça aos humildes".*
1PEDRO 5.5

*Ele nos deu este mandamento: quem ama a Deus, ame também
seus irmãos.*
1JOÃO 4.21

*Obedeçam a seus líderes e façam o que disserem. O trabalho
deles é cuidar de sua alma, e disso prestarão contas. Deem-lhes
motivo para trabalhar com alegria, e não com tristeza, pois isso
certamente não beneficiaria vocês.*
HEBREUS 13.17

10
Senhor, prepara-me para ser uma verdadeira adoradora

Quando eu trabalhava como cantora, dançarina e atriz na televisão, na época em que os musicais estavam no auge, tinha de cantar a mesma canção repetidamente o dia todo enquanto a ensaiava com a coreografia. Então, à noite, precisava cantá-la mais uma porção de vezes durante as gravações feitas para a apresentação do dia seguinte. As canções precisavam ser gravadas com antecedência, pois enquanto dançava e cantava ao mesmo tempo não tinha como usar o microfone. Naquela época não havia microfones portáteis como os de hoje. Eu voltava para casa à noite, depois da última sessão, e mal conseguia dormir, porque a música e a letra das canções em que havíamos trabalhado continuavam tocando sem parar em minha mente. Não conseguia tirá-las da cabeça.

É exatamente isso que acontece conosco quando ouvimos e cantamos cânticos de louvor e adoração a Deus sem parar. Eles continuam a tocar em nossa mente, alma e espírito, mesmo quando não estamos mais cantando e adorando. Continuam até mesmo quando estamos dormindo.

Aprendi esse princípio anos atrás quando me converti. Naquele tempo, sofria de depressão profunda e, em inúmeras ocasiões, me levantava no meio da noite para cantar ou dizer palavras de louvor a Deus a fim de me livrar dela. Eu havia consultado vários médicos, mas os remédios que me davam pareciam só mascarar o problema. Ele ainda estava lá quando o efeito do remédio passava. Não estou dizendo que as pessoas em depressão não devam tomar remédios. Estou dizendo que eles não resolviam *meu* problema. Eu sofria de depressão desde tenra idade, e minha mãe me trancava no armário. O desespero, a insignificância e a tristeza que sentia sobre mim mesma e minha vida tornavam difícil sobreviver a cada dia. Precisava de uma infusão de alegria do Senhor, e era esse o efeito que o louvor a Deus tinha para mim.

Quando louvava e adorava a Deus, era como estar recebendo soro espiritual. Enquanto meu coração e meus olhos se elevavam para Deus em adoração e louvor, a alegria do Senhor era derramada sobre meu corpo, mente, alma e espírito e expulsava a escuridão e a depressão. Sempre funcionava.

Comecei a comprar cânticos de louvor e adoração em fitas e depois em CDs. Ouvia-os no carro enquanto dirigia, no banheiro enquanto secava os cabelos, na cozinha enquanto preparava a comida, pela casa enquanto faxinava ou em minha escrivaninha enquanto escrevia cartas ou verificava a correspondência. Algumas vezes eu cantava junto, outras, deixava que a música tocasse em minha mente e espírito. Ficava admirada como a confusão, a opressão, o medo ou a ansiedade não tinham como existir no coração de uma filha de Deus que o adorava. Mais tarde, livrei-me completamente da depressão.

Nada do que fazemos é mais poderoso e transformador do que louvar a Deus. É um dos meios pelos quais Deus nos dá nova forma. Toda vez que o louvamos e adoramos, sua presença vem habitar em nós, muda nosso coração e permite que o Espírito Santo o enterneça e molde de acordo com sua vontade para nós.

Pelo fato de o louvor e a adoração não serem algo que nossa carne *deseja* fazer naturalmente, precisamos nos *determinar* a fazê-lo. E, pelo fato de não ser a primeira coisa que nos ocorre, precisamos decidir louvar e adorar, sejam quais forem as circunstâncias. Precisamos dizer: "Eu *vou* louvar o Senhor". É claro que quanto mais conhecemos a Deus, mais fácil torna-se louvá-lo. Quando chegamos ao ponto de não podermos deixar de louvá-lo, estamos no lugar certo. Se em algum momento você se sentir desmotivada nesse sentido, tente ler os vinte motivos para adorar a Deus que apresento a seguir, extraídos do salmo 103. Sempre funciona para mim.

Vinte bons motivos para adorar a Deus

1. *Ele perdoa meus pecados.*
2. *Ele cura minhas doenças.*
3. *Ele me resgata da morte.*
4. *Ele me coroa de amor e misericórdia.*
5. *Ele me enche de coisas boas.*
6. *Ele faz justiça e defende os oprimidos.*
7. *Ele revela seus planos.*
8. *Ele é compassivo.*
9. *Ele é misericordioso.*
10. *Ele é lento para se irar.*
11. *Ele não nos acusa o tempo todo.*
12. *Ele não permanece irado para sempre.*
13. *Ele não nos trata como mereceremos.*
14. *Ele ama os que o temem.*
15. *Ele afasta de nós nossos pecados.*
16. *Ele é bondoso para conosco.*
17. *Ele se lembra de que somos pó.*

18. *Seu amor é eterno.*
19. *Ele abençoa os filhos e os netos dos que lhe obedecem.*
20. *Ele reina sobre tudo e estabeleceu seu trono nos céus.*

A adoração como Deus deseja

Podemos dizer que conhecemos e amamos a Deus, mas, se não estamos adorando-o e louvando-o todos os dias, não sabemos, de fato, quem ele é. "Sim, eles conheciam algo sobre Deus, mas não o adoraram nem lhe agradeceram. Em vez disso, começaram a inventar ideias tolas e, com isso, sua mente ficou obscurecida e confusa" (Rm 1.21). Deixamos de ter muita coisa em nossa vida quando não damos a Deus a glória que lhe é devida. Não queremos ficar vagando no escuro dedicando nossa mente a coisas vãs, tudo porque não somos *verdadeiras* adoradoras de nosso Deus maravilhoso.

Cinco maneiras divinas de adorar o Senhor

Deus deseja que dediquemos todo o nosso ser em adoração a ele, e deseja que o façamos do jeito *dele*.

1. *Deus quer que cantemos louvores a ele*. "Louvado seja o Senhor! Como é bom cantar louvores a nosso Deus! Como é agradável e apropriado!" (Sl 147.1). "Sirvam ao Senhor com alegria, apresentem-se diante dele com cânticos" (Sl 100.2).

2. *Deus quer que levantemos as mãos a ele*. "Levantem suas mãos para o santuário e louvem o Senhor" (Sl 134.2).

3. *Deus quer que falemos palavras de louvor a ele*. "Assim, por meio de Jesus, ofereçamos um sacrifício constante de louvor a Deus, o fruto dos lábios que proclamam seu nome" (Hb 13.15).

4. *Deus quer que o louvemos com danças e instrumentos.* "Louvem-no com o toque da trombeta, louvem-no com a lira e a harpa! Louvem-no com tamborins e danças, louvem-no com instrumentos de cordas e flautas! Louvem-no com o som dos címbalos, louvem-no com címbalos ressonantes!" (Sl 150.3-5).

5. *Deus quer que o louvemos junto com outros cristãos.* "Proclamarei teu nome a meus irmãos; no meio de teu povo reunido te louvarei" (Hb 2.12).

Louvar e adorar a Deus com outros cristãos é uma das coisas mais poderosas e significativas que podemos fazer em nossa vida. A adoração em conjunto faz com que cadeias sejam quebradas e abre caminho em nós para mudanças maravilhosas que, de outro modo, talvez nunca ocorressem. Quando adoramos a Deus em conjunto, ocorre uma dinâmica poderosa no reino espiritual que não pode acontecer de nenhuma outra maneira.

Não importa em que contexto de igreja você está ou já esteve, peça a Deus que a transforme numa verdadeira adoradora. É isso que ele quer de você. Entregue-se completamente à adoração e ao louvor. Enquanto tiver fôlego, pode regozijar-se sempre, orar sem cessar, dar graças em todas as coisas, porque essa é a vontade de Deus em Cristo Jesus para você (1Ts 5.16-18). Os cânticos de adoração que você entoa sem parar em seu coração ao longo do dia encherão sua alma à noite.

– Minha oração a Deus –

Senhor, não há maior fonte de alegria para mim do que te adorar. Venho a tua presença com ações de graça e inclino-me diante de ti no dia de hoje. Exalto teu nome, pois és grande e digno de ser louvado. Obrigada por teres colocado alegria em meu coração (Sl 4.7). Toda honra e majestade, poder e glória, santidade e justiça pertencem a ti, Senhor.

Obrigada porque "o SENHOR é misericordioso e compassivo, lento para se irar e cheio de amor" (Sl 145.8). Obrigada porque "nosso Senhor é grande! Seu poder é absoluto! É impossível medir seu entendimento" (Sl 147.5). Obrigada porque tu amparas o humilde e fazes cair por terra os ímpios (Sl 147.6). Obrigada porque fazes justiça aos oprimidos, dás pão aos que têm fome e libertas os encarcerados. Obrigada porque abres os olhos dos cegos e levantas os abatidos (Sl 146.7-8).

Obrigada, Senhor, porque teus planos para minha vida são bons e tens para mim um futuro cheio de esperança. Obrigada porque estás sempre restaurando minha vida, conduzindo-a a uma plenitude cada vez maior. Eu te louvo e te agradeço, pois és para mim aquele que sara, aquele que supre, és meu Redentor, meu Pai e meu Consolador. Obrigada por te revelares a mim por intermédio de tua Palavra, de teu Filho Jesus e de tuas obras poderosas na terra e em minha vida. Obrigada por teu amor, tua paz, alegria, fidelidade, graça, misericórdia, bondade, verdade e cura. Obrigada porque posso depender de ti, pois tu e tua Palavra sois firmes. Obrigada porque és o mesmo ontem, hoje e sempre.

Senhor, perdoa-me quando deixo de louvar-te e adorar-te como tu mereces e desejas. Ensina-me a adorar-te de todo o meu coração e da maneira como tu queres. Faze-me uma verdadeira adoradora, Senhor. Que o louvor e a adoração sejam minha primeira reação em todas as circunstâncias.

Louvo teu nome no dia de hoje, Senhor, pois tu és bom, e o teu amor dura para sempre (Sl 136.1). "Teu amor é melhor que a própria vida; com meus lábios te louvarei. Sim, te louvarei enquanto viver; a ti em oração levantarei as mãos" (Sl 63.3-4). Eu declararei entre as nações a tua glória, entre todos os povos, as tuas maravilhas (Sl 96.3). Eu te adoro na beleza da tua santidade e te dou a glória devida ao teu nome (Sl 29.2).

– As promessas de Deus para mim –

Está chegando a hora, e de fato já chegou, em que os verdadeiros adoradores adorarão o Pai em espírito e em verdade. O Pai procura pessoas que o adorem desse modo. Pois Deus é Espírito, e é necessário que seus adoradores o adorem em espírito e em verdade.
João 4.23-24

Ofereçam a Deus seu sacrifício de gratidão e cumpram os votos que fizerem ao Altíssimo. Então clamem a mim em tempos de aflição; eu os livrarei, e vocês me darão glória.
Salmos 50.14-15

Alegrem-se, porém, todos que em ti se refugiam; que cantem alegres louvores para sempre. Estende sobre eles tua proteção, para que exultem todos que amam teu nome. Pois tu, Senhor, abençoas os justos; com teu favor os proteges como um escudo.
Salmos 5.11-12

Nosso Deus se aproxima e não está em silêncio. Fogo devora tudo em seu caminho, e ao seu redor há uma grande tempestade.
Salmos 50.23

Graças te dou, Senhor, de todo o meu coração; cantarei louvores a ti diante dos deuses. Prostro-me diante do teu santo templo; louvo teu nome por teu amor e tua fidelidade, pois engrandeceste acima de tudo teu nome e tua palavra. Quando eu clamo, tu me respondes; coragem e força me dás.
Salmos 138.1-3

11
Senhor, abençoa-me em meu trabalho

Sei como é ir dormir com fome. Quando eu era criança, minha família era tão pobre que muitas vezes não tínhamos comida em casa nem meios de comprá-la. Aquela sensação de fome era assustadora, e o medo nunca me deixou, mesmo depois de adulta. Na verdade, esse medo me levou a sempre trabalhar arduamente, a fim de garantir que jamais acontecesse de novo. Essa situação me levou, quando adolescente, a pegar todos os serviços de babá que conseguia, ganhando cinquenta centavos por hora nos fins de semana, em vez de ficar com meus amigos. Foi o que me fez trabalhar depois das aulas quase todos os dias e parte da noite, além de sábados e domingos quando estava no ensino médio e na faculdade. Mesmo depois que saí da faculdade e entrei no mercado de trabalho, tinha não apenas um emprego mas *dois* pelo mesmo motivo. No fundo de minha mente, havia o medo de que não tivesse dinheiro suficiente para comprar comida, por isso com frequência eu trabalhava mais do que minha mente e meu corpo podiam suportar.

Só quando conheci o Senhor e comecei a entender como ele provê a seus filhos é que finalmente me livrei do medo. Foi um alívio imenso descobrir que podia confiar que *Deus* cuidaria de mim. Não precisava mais me matar por desespero; podia buscar nele tudo de que precisava.

Também me tornei mais crítica em relação ao trabalho que fazia. Não precisava mais aceitar todos os serviços que conseguia. Em vez disso, perguntava a Deus quais eram os serviços que *ele* queria que eu aceitasse. Descobri que, quando era guiada pelo Senhor no serviço que fazia e entregava meu trabalho a ele para a sua glória, ele o abençoava. Não era mais uma tortura. Pedia a Deus que me ajudasse a fazer bem o serviço, e como resultado meu trabalho logo se tornou produtivo, bem-sucedido e realizador.

Todas nós temos um trabalho a fazer

Não importa se você é mãe e dona de casa, estudante em tempo integral, executiva de uma grande empresa, uma mulher sozinha e independente, uma mulher casada que administra o lar, profissional qualificada, portadora de deficiência, babá, empregada doméstica, mãe solteira que trabalha fora ou voluntária num centro de assistência a pessoas carentes — você tem um trabalho a fazer. Não importa se seu trabalho é reconhecido pelo mundo todo ou somente por Deus. Não importa se você está ganhando uma fortuna ou não está recebendo nenhuma compensação financeira. Seu trabalho é valioso. E você quer que ele seja abençoado por Deus.

Seja qual for o trabalho que fazemos, queremos fazê-lo bem e ter sucesso. Quando nosso trabalho é bom, ele nos traz realização. Quando conseguimos fazer algo que vale a pena, que faça diferença na vida de outras pessoas, de nossa família ou de nós mesmas, isso traz satisfação. No entanto, quando o trabalho de nossas mãos não é abençoado, sentimos o peso da frustração e da falta de realização.

A mulher ideal descrita na Bíblia trabalha com afinco (Pv 31). Ela compra e vende propriedade (uma corretora de imóveis?). Ela planta um vinhedo (uma paisagista?). Ela faz roupas (uma estilista?) e as vende (gerente de uma loja de roupas?). Ela é uma mulher de força, energia e visão, que trabalha duro até a noite e sabe que aquilo que ela tem a oferecer é bom. Deus quer que experimentemos esse tipo de sucesso e satisfação. No entanto, isso não acontece sem oração.

A oração nos ajuda a encontrar o equilíbrio entre sermos gananciosas, o que desgasta nossa vida (Pv 1.19), e sermos preguiçosas, o que nos faz empobrecer (Pv 10.4). A oração nos ajuda a não nos fatigarmos para ser ricas (Pv 23.4-5) e ainda assim a sermos diligentes em nosso trabalho, o que no final pode trazer recompensas monetárias (Pv 10.4). A oração nos ajuda a encontrar o equilíbrio entre a preguiça e a obsessão, entre ganhar o mundo todo e perder a própria alma (Mt 16.26).

A Bíblia diz que "aqueles que trabalham merecem seu salário" (1Tm 5.18). Isso significa que você merece ser paga ou recompensada por seu trabalho. Às vezes a recompensa já é realizar o trabalho em si. Você não é paga para cuidar da casa, servir sopa a pessoas carentes ou ensinar uma criança a amarrar o cadarço dos sapatos, mas sua recompensa por ver os resultados de seu trabalho é inestimável. "O salário do justo produz vida" (Pv 10.16).

Se você tem um trabalho remunerado, não hesite em orar para que seu pagamento seja justo e generoso. Ore para que seu empregador seja abençoado nos negócios dele a fim de que possa, por sua vez, pagar bem todos os seus funcionários. Ore para que seu trabalho seja reconhecido e valorizado por outros. Ore para receber promoções e crescer dentro da empresa de acordo com a vontade de Deus. Diga: "Senhor, gostaria de receber aquela promoção e aquele aumento, se essa é tua vontade para minha vida". Ao orar dessa maneira e entregar seu trabalho ao Senhor, ele o abençoará.

Não importa o que consta em seu comprovante de renda, seu trabalho é importante para Deus, é importante para os outros e é importante para você. Você não pode se dar ao luxo de não orar sobre ele. Entregue seu trabalho ao Senhor e peça-lhe que o abençoe.

– Minha oração a Deus –

Senhor, peço-te que me mostres qual é o trabalho que devo fazer. Caso seja algo diferente do que estou fazendo agora, revela-me. Se é algo que devo fazer além do que já estou fazendo, revela-me também. Seja o que for que tu me chamaste para fazer agora e no futuro, peço-te que me dês força e energia para fazê-lo bem. Capacita-me para que possa realizar meu trabalho com sucesso. Que eu possa encontrar grande realização e satisfação em todos os aspectos dele, mesmo nas partes mais difíceis e desagradáveis.

Obrigada porque em todo trabalho há algum proveito (Pv 14.23). Peço-te que as recompensas de meu trabalho sejam grandes. Que eu receba compensação justa e rica vinda dos depósitos de tua abundância. Abençoa as pessoas para as quais e com as quais trabalho. Que eu possa ser uma bênção para cada uma delas. Ao estar em contato com outras pessoas em meu trabalho, peço-te que teu amor e tua paz fluam por meu intermédio e falem alto de tua bondade. Capacita-me para levá-las ao teu reino.

Senhor, agradeço-te as habilidades que tu me deste. Ajuda-me a crescer e melhorar os pontos em que me falta habilidade, para que possa fazer bem meu trabalho. Ensina-me a alcançar a excelência, a fim de que aquilo que eu faço seja agradável às outras pessoas. Abre portas para que eu tenha oportunidade de usar minhas habilidades e fecha as portas pelas quais não devo passar. Dá-me sabedoria e direção sobre isso.

Entrego meu trabalho a ti, Senhor, sabendo que tu o estabelecerás (Pv 16.3). Que eu possa sempre amar o trabalho que faço e fazer o trabalho que amo. De acordo com tua Palavra, peço-te que não me falte diligência em meu trabalho, mas que permaneça fervorosa de espírito, servindo-te em tudo o que fizer (Rm 12.11). Estabelece as obras de minhas mãos, para que aquilo que eu faço encontre favor entre os outros e seja uma bênção para muitos. Que seja tudo sempre para tua glória.

– As promessas de Deus para mim –

Como é feliz aquele que teme o SENHOR, *que anda em seus caminhos! Você desfrutará o fruto de seu trabalho; será feliz e próspero.*
SALMOS 128.1-2

A bênção do SENHOR *traz riqueza, e ele não permite que a tristeza a acompanhe.*
PROVÉRBIOS 10.22

Seja sobre nós a bondade do Senhor, nosso Deus; faze prosperar nossos esforços, sim, faze prosperar nossos esforços.
SALMOS 90.17

Você já viu alguém muito competente no que faz? Ele servirá reis em vez de trabalhar para gente comum.
PROVÉRBIOS 22.29

É dom de Deus que possa o homem comer, beber e desfrutar o bem de todo o seu trabalho.
ECLESIASTES 3.13

12
Senhor, planta-me para que eu possa dar fruto de teu Espírito

Durante a maior parte da vida meu pai trabalhou no campo. Ele sabia como plantar e cultivar lavouras saudáveis. A coisa mais importante que aprendi com ele foi cultivar uma horta e um pomar. Não tínhamos as ferramentas sofisticadas que as pessoas têm hoje em dia — apenas uma pá e uma enxada. Nem sequer tínhamos água corrente ou encanamento na casa, quanto mais um sistema de irrigação na plantação. Precisávamos esperar a água para a irrigação chegar à nossa terra e então canalizá-la até as lavouras cavando pequenas valas para a água passar dos dois lados de cada fileira de sementes. Desse modo, ela molhava as raízes sem levar embora as mudas.

Depois que plantávamos as sementes e as regávamos, nutríamos, alimentávamos e cuidávamos do solo ao redor das sementes, para que elas pudessem crescer livremente. Também procurávamos proteger nossas plantas do granizo, do vento e das geadas. Quando as frutas, os legumes e as verduras estavam se formando, verificávamos se eles não estavam se separando da planta nem a planta das raízes. Se éramos cuidadosos e diligentes, tínhamos uma boa colheita. Isso sempre fazia meu pai encher-se de orgulho.

Quer percebamos, quer não, cada dia todas nós estamos plantando alguma coisa na vida. Também estamos colhendo aquilo que plantamos no passado. A qualidade de nossa vida neste momento é resultado do que plantamos e ceifamos algum tempo atrás. Colhemos o bem e o mal durante anos de acordo com o que semeamos. Por isso é tão importante plantar as sementes certas e cuidar delas agora.

Jesus disse que ele é a videira e nós somos os ramos. Se permanecermos nele, daremos fruto (Jo 15.5). "Permanecer" significa continuar, ficar, habitar. Em outras palavras, se habitarmos com ele e ele conosco, daremos o fruto de seu Espírito (Gl 5.22-23). É isso que queremos.

Dizem que ficamos parecidos com a pessoa com quem vivemos e estamos mais intimamente ligados. Quando compartilhamos nossa vida com Jesus, sua semelhança é estampada em nosso espírito e alma. Quando nos ligamos a ele, o fruto de seu Espírito manifesta-se em nós.

Nove boas maneiras de produzir uma excelente colheita

1. *Plante sementes de amor.* Peça a Deus que plante o amor dele em você de maneira tão profunda e poderosa que você possa experimentá-lo plenamente. Peça também que o amor dele flua por seu intermédio para as outras pessoas. Jesus disse: "Quando vocês obedecem a meus mandamentos, permanecem no meu amor, assim como eu obedeço aos mandamentos de meu Pai e permaneço no amor dele" (Jo 15.10). Peça a Deus que a ajude a obedecer a suas leis para que nada impeça a plenitude do amor dele de florescer em você.

2. *Plante sementes de alegria.* A alegria não tem nada a ver com as circunstâncias. Você pode ter alegria apesar de

problemas difíceis e dolorosos, pois a alegria surge de um relacionamento próximo e íntimo com o Senhor. Você não pode ter alegria se se sentir separada de Deus ou não confiar nas promessas dele para você. Jesus disse: "Eu lhes disse estas coisas para que fiquem repletos da minha alegria. Sim, sua alegria transbordará!" (Jo 15.11). Quando você vive na alegria do Senhor, você espera que Deus fará algo maior em sua vida. Peça que a alegria do Senhor seja plantada *em* você e se manifeste *por meio de* sua vida, a fim de que sua lavoura se espalhe por toda a parte, até os campos ao seu redor.

3. *Plante sementes de paz.* Ore para que a presença do Senhor plantada em sua vida ofereça paz que excede o entendimento. Ore para que essa paz se fortaleça e prevaleça quaisquer que sejam as circunstâncias em que você se encontra. "Então vocês experimentarão a paz de Deus, que excede todo entendimento e que guardará seu coração e sua mente em Cristo Jesus" (Fp 4.7). Só podemos ter verdadeira paz se vivermos num relacionamento correto com Deus. Peça a Deus que a ajude a conhecer sua paz de maneira tão poderosa que traga paz aos outros ao seu redor.

4. *Plante sementes de paciência.* Por que você acha que é importante que Deus cultive em nós a paciência? Porque o tempo de Deus não é o mesmo que o nosso. Ele está sempre fazendo mais do que vemos ou sabemos, portanto devemos confiar nele com relação ao tempo em que leva para fazer com que as coisas aconteçam. Deus nos aperfeiçoa e nos refina antes de nos conduzir a tudo aquilo que ele tem para nós, e isso leva tempo. "Assim, não se tornarão displicentes, mas seguirão o exemplo daqueles que, por causa de sua fé e perseverança, herdarão as promessas" (Hb 6.12). "E é necessário que ela cresça, pois quando estiver plenamente desenvolvida vocês serão maduros

e completos, sem que nada lhes falte" (Tg 1.4). "É pela perseverança que obterão a vida" (Lc 21.19). Outra palavra para paciência é longanimidade. O termo diz tudo: longo ânimo. Quando você sofre durante longo tempo, significa que suporta mais coisas do que gostaria. Peça que a paciência de Deus esteja arraigada em sua alma de tal modo que nada do que você tenha de suportar venha a arrancá-la de lá.

5. *Plante sementes de amabilidade*. Você pode escolher o que planta em sua terra. Você pega as sementes que deseja e as coloca no solo, e Deus as faz crescer. A amabilidade é algo que você precisa plantar intencionalmente. Ou, em outras palavras, a amabilidade é algo que você precisa escolher vestir, como uma roupa. "Visto que Deus os escolheu para ser seu povo santo e amado, revistam-se de compaixão, bondade, humildade, mansidão e paciência" (Cl 3.12). O ato supremo de amabilidade foi Jesus ter dado sua vida por nós. Ore para que esse tipo de amabilidade cresça dentro de você a fim de que também possa dar sua vida por outros com atos amáveis.

6. *Plante sementes de bondade*. Quando a bondade de Deus é semeada em nossa alma, leva a produzir boas obras. "A pessoa boa tira coisas boas do tesouro de um coração bom, e a pessoa má tira coisas más do tesouro de um coração mau" (Mt 12.35). "A árvore boa produz frutos bons, e a árvore ruim produz frutos ruins. A árvore boa não pode produzir frutos ruins, e a árvore ruim não pode produzir frutos bons" (Mt 7.17-18). Peça a Deus que a ajude a habitar nele para que a bondade dele cresça em você. Quando ela crescer em seu coração, coisas boas virão de sua vida.

7. *Plante sementes de fidelidade*. Quando somos inabaláveis, constantes, seguras, confiáveis, leais, quando as pessoas podem contar conosco e fazemos o que é certo a qualquer preço,

demonstramos fidelidade. "Se forem fiéis nas pequenas coisas, também o serão nas grandes. Mas, se forem desonestos nas pequenas coisas, também o serão nas maiores" (Lc 16.10). Ore para que a fidelidade de Deus continue a se fortalecer dentro de você a cada dia de sua vida. Peça que a fidelidade dele fortaleça todos com quem você tiver contato e inspire os outros a também ser mais fiéis.

8. *Plante sementes de mansidão.* Quando somos petulantes e arrogantes, fazemos as pessoas se sentirem mal conosco e com elas mesmas. A mansidão é uma brandura humilde que é calma, tranquilizadora, pacífica e agradável de se ter por perto. A Bíblia diz: "O servo do Senhor não deve viver brigando, mas ser amável com todos, apto a ensinar e paciente" (2Tm 2.24). "A sabedoria que vem do alto é, antes de tudo, pura. Também é pacífica, sempre amável e disposta a ceder a outros. É cheia de misericórdia e é o fruto de boas obras. Não mostra favoritismo e é sempre sincera" (Tg 3.17). Ter consideração pelos sentimentos e necessidades dos outros ao demonstrar mansidão mostra que você está respondendo ao Espírito de Deus e que aquilo que foi plantado em você está criando raízes. Ore para que você possa ser tão mansa quanto foi Jesus (2Co 10.1).

9. *Plante sementes de domínio próprio.* O domínio próprio não é frágil como a planta do morango; é grande e forte como a macieira. Só Deus pode cultivar algo tão grandioso em você e fazer dar frutos. A falta de domínio próprio significa que você faz o que bem entende sem considerar as consequências. Ore para que não lhe falte determinação diante das forças que agem sobre sua alma. "Acrescentem à fé a excelência moral; à excelência moral o conhecimento; ao conhecimento o domínio próprio; ao domínio próprio a perseverança; à perseverança a devoção a Deus" (2Pe 1.5-6). Peça a Deus que cultive em

você um domínio próprio que crescerá como uma árvore de força. Peça-lhe que ajude você a governar suas paixões, desejos e emoções, sujeitando-as ao Espírito Santo. Ele lhe dará a disciplina necessária.

Se você não tem dado frutos do Espírito em sua vida como gostaria, peça a Deus que a ajude a plantar boas sementes e a arrancar qualquer erva daninha que esteja crescendo ao redor de sua alma. Nutra o solo de seu coração com o alimento da Palavra de Deus e peça ao Espírito Santo que o regue novamente a cada dia. Enquanto você permanecer fielmente na videira verdadeira, garanto-lhe que você produzirá uma safra de frutos espirituais que encherão seu Pai celeste de orgulho.

– Minha oração a Deus –

Senhor, sonda meu coração, prova-me e vê se há em mim algum mal. No lugar de tudo o que está errado em meu caráter, coloca tua benevolência. Cultiva os frutos de teu Espírito em mim e faze-me florescer. Ajuda-me a permanecer em ti, Jesus, para que eu dê frutos em minha vida. Convido-te, Espírito Santo, para encher-me novamente de teu amor no dia de hoje, para que ele flua de mim e chegue até a vida de outros.

Tu disseste em tua Palavra: "Permitam que a paz de Cristo governe o seu coração" (Cl 3.15). Peço-te que tua paz reine sobre meu coração e minha mente de tal modo que as pessoas possam senti-la quando estiverem perto de mim. Ajuda-me a ter "como alvo a harmonia" para que "procuremos edificar uns aos outros" (Rm 14.19).

Dá-me a alegria produzida quando te conhecemos. Torna-me paciente com outros para que eu possa refletir teu caráter a eles. Ajuda-me a demonstrar amabilidade sempre que houver oportunidade, e que tua bondade flua por meu intermédio a fim de que eu possa fazer o bem a todos. Faze-me ser uma pessoa fiel para que possa ser digna de confiança em todas as coisas. Ajuda-me a ter a "mansidão e bondade" de Cristo para que reflita teu espírito de mansidão (2Co 10.1). Capacita-me para que eu tenha domínio próprio sobre meus pensamentos, palavras e hábitos.

Submeto-me a ti naquilo que preciso ser podada a fim de dar mais fruto. Sei que sem ti nada posso fazer. Tu és a videira, e eu sou o ramo. Devo permanecer em ti a fim de dar fruto. Ajuda-me a fazê-lo. Obrigada por tua promessa de que, se eu permanecer em ti, e se tua Palavra permanecer em mim, posso pedir o que desejar, e isso me será feito (Jo 15.7). Obrigada por tua promessa de que, se eu fizer um pedido, eu o receberei (Jo 16.24). Que eu possa ser como árvore plantada junto de teus rios de água viva, a fim de que dê fruto no devido tempo (Sl 1.3). Em nome de Jesus, peço-te que o fruto de teu Espírito cresça em mim e seja reconhecido claramente por todos que me virem e que seja para tua glória.

– As promessas de Deus para mim –

O Espírito produz este fruto: amor, alegria, paz, paciência, amabilidade, bondade, fidelidade, mansidão e domínio próprio. Não há lei contra essas coisas!
GÁLATAS 5.22-23

Eu sou a videira verdadeira, e meu Pai é o lavrador. Todo ramo que, estando em mim, não dá fruto, ele corta. Todo ramo que dá fruto, ele poda, para que produza ainda mais. Vocês já foram limpos pela mensagem que eu lhes dei. Permaneçam em mim, e eu permanecerei em vocês. Pois, assim como um ramo não pode produzir fruto se não estiver na videira, vocês também não poderão produzir frutos a menos que permaneçam em mim. Sim, eu sou a videira; vocês são os ramos. Quem permanece em mim, e eu nele, produz muito fruto. Pois, sem mim, vocês não podem fazer coisa alguma. Quem não permanece em mim é jogado fora, como um ramo imprestável, e seca. Esses ramos são ajuntados num monte para serem queimados. Mas, se vocês permanecerem em mim e minhas palavras permanecerem em vocês, pedirão o que quiserem, e isso lhes será concedido! Quando vocês produzem muitos frutos, trazem grande glória a meu Pai e demonstram que são meus discípulos de verdade.

João 15.1-8

13
Senhor, preserva-me em pureza e santidade

Não deixe que o título deste capítulo a assuste. Ser santa não significa ser perfeita. É deixar que *ele* — que é santo — esteja *em* você. Não podemos ser santas por conta própria, mas podemos fazer escolhas que permitem à santidade e à pureza se manifestarem em nossa vida. Podemos nos separar de tudo aquilo que subtrai a santidade de Deus em nós e podemos morrer para nossos desejos. Somos capazes de fazer isso, pois "aqueles que pertencem a Cristo Jesus crucificaram as paixões e os desejos de sua natureza humana" (Gl 5.24). Não somos escravas de nossa carne. Somos capazes de viver uma vida consagrada ao Senhor.

É possível que você já tenha ouvido as pessoas falar: "Não sei definir exatamente o que é pornografia, mas, quando a vejo, sei do que se trata". Pois bem, o oposto vale para a santidade e a pureza. Talvez você não seja capaz de descrever com precisão o que é santidade, mas quando você *não* a vê, sabe do que se trata. Eis sete descrições do que é santidade e de como saber quando você não a vê em sua vida.

Sete boas maneiras de viver em santidade

1. *Santidade significa separar-se do mundo.* Isso não quer dizer que você vai morar no alto da montanha, isolar-se e jamais

falar com alguém que não seja cristão. Significa que seu coração se desliga do sistema de valores do mundo. Em vez disso, você dá valor às coisas que Deus valoriza acima de tudo. As consequências por não fazê-lo são sérias. "Não percebem que a amizade com o mundo os torna inimigos de Deus? Repito: se desejam ser amigos do mundo, tornam-se inimigos de Deus" (Tg 4.4). Quem quer ser inimigo de Deus?

Sei que é difícil se separar do mundo quando você vive nele. No entanto, se esse é o desejo de seu coração, você pode pedir a Deus para ajudá-la. É claro que você precisa optar por não assistir a certos programas de TV, não assistir a certos filmes, não ler certas revistas e não frequentar certos lugares. "Não amem este mundo, nem as coisas que ele oferece, pois, quando amam o mundo, o amor do Pai não está em vocês. Porque o mundo oferece apenas o desejo intenso por prazer físico, o desejo intenso por tudo que vemos e o orgulho de nossas realizações e bens. Isso não provém do Pai, mas do mundo" (1Jo 2.15-16). Peça a Deus que a ajude a se separar das coisas do mundo e a aprender a amar o *Senhor* mais do que você ama o *mundo*.

2. *Santidade significa purificar-se.* Purificar-se não quer dizer vestir uma túnica branca para cobrir tudo o que não é santo em você. Significa pedir a Deus, que é santo, para purificar seu coração. É lá que começa tudo o que não é santo. Purificarmo-nos significa fazermos um balanço de nossa vida, nossos pensamentos, nossas ações, nossos relacionamentos e negócios e limparmo-nos de qualquer coisa que nos contamine. É um processo que realizamos *ativamente*. Isso significa que decidimos ser moral e eticamente puras. "E todos que têm essa esperança se manterão puros, como ele é puro" (1Jo 3.3).

Quando Deus disse: "Sejam santos" (Lv 19.2), as ordens que ele deu depois disso estavam relacionadas a não roubar, mentir, defraudar, ser maledicente, buscar vingança e não cair em idolatria. Isso quer dizer que precisamos dar passos específicos a fim de não termos um estilo de vida impuro. Devemos deliberadamente nos afastar de qualquer coisa que glorifique a imoralidade ou que não seja santa. "Agora, porém, sejam santos em tudo que fizerem, como é santo aquele que os chamou. Pois as Escrituras dizem: 'Sejam santos, porque eu sou santo'" (1Pe 1.15-16). Ore para ser capaz de esquadrinhar e avaliar seus caminhos e voltar-se para o Senhor (Lm 3.40).

3. *Santidade significa viver no Espírito e não na carne.* Nossos pensamentos carnais nos desqualificam tanto quanto nossas ações. Temos inveja de alguém? Estamos em conflitos? Há divisões não resolvidas em nosso meio? Damos espaço ao pecado intencionalmente? Se esse é o caso, então estamos vivendo na carne. E isso nos destruirá. "Aqueles que são dominados pela natureza humana pensam em coisas da natureza humana, mas os que são controlados pelo Espírito pensam em coisas que agradam o Espírito. Portanto, permitir que a natureza humana controle a mente resulta em morte, mas permitir que o Espírito controle a mente resulta em vida e paz. Pois a mentalidade da natureza humana é sempre inimiga de Deus. Nunca obedeceu às leis de Deus, e nunca obedecerá. Por isso aqueles que ainda estão sob o domínio de sua natureza humana não podem agradar a Deus" (Rm 8.5-8).

Quando você observa honestamente os frutos de sua vida, você pode ver, a partir do que está colhendo, se semeou para a carne ou para o Espírito. "Não se deixem enganar: ninguém pode zombar de Deus. A pessoa sempre colherá aquilo que semear. Quem vive apenas para satisfazer sua natureza humana colherá dessa natureza ruína e morte. Mas quem vive para agradar o Espírito colherá do Espírito a vida eterna" (Gl 6.7-8). Ore para que Deus a ajude a viver no Espírito e não na carne.

4. *Santidade significa manter distância da imoralidade sexual.* A maior mentira que nossa sociedade aceita cegamente é de que é correto cometer pecado sexual. Deve ser triste para o Espírito Santo ver quantas mulheres se contentam com muito menos do que Deus tem para elas porque acreditaram nessa mentira. Por exemplo, uma geração iludida acredita que praticar sexo oral com alguém com quem não se é casado não constitui sexo, portanto é possível entregar-se à carne e não colher as consequências. "Consideram-se puros, mas são imundos e nunca foram lavados" (Pv 30.12). Mesmo que estejam seguros de não conceber uma criança, certamente concebem a morte em sua alma e, então, perguntam-se, depois que se casam, por que se apaga a paixão em seu casamento. A santidade significa não ser vítima da moda ou de tendências em pensamentos e atos. "A vontade de Deus é que vocês vivam em santidade; por isso, mantenham-se afastados de todo pecado sexual. Cada um deve aprender a controlar o próprio corpo e assim viver em santidade e honra, não em paixões sensuais, como os gentios que não conhecem a Deus" (1Ts 4.3-5). Peça a Deus que a ajude a manter-se sexualmente pura em sua mente, alma e corpo.

5. *Santidade significa ser santificada por Jesus.* Uma vez que aceitamos a Jesus, não podemos continuar a viver conforme nosso antigo estilo de vida pecaminoso. Agora que temos Jesus vivendo dentro de nós e seu Espírito Santo nos enchendo e transformando, não há desculpas. Fomos santificadas pela oferta do corpo de Jesus Cristo, uma vez por todas (Hb 10.10). "Porque, mediante essa única oferta, ele tornou perfeitos para sempre os que estão sendo santificados" (Hb 10.14). Isso não significa que não precisamos mais nos preocupar com o

pecado e que podemos fazer o que bem entendermos, pois Jesus já cuidou de tudo. Significa, isto sim, que devemos *continuar* a permanecer nele e pedir a Deus que nos ajude a viver dentro de tudo aquilo que ele pagou por nós na cruz.

6. *Santidade significa andar com Deus.* Quando não procuramos caminhar com Deus e ter um estilo de vida de pureza e paz, não somos capazes de ver o Senhor com qualquer clareza. "Esforcem-se para viver em paz com todos e procurem ter uma vida santa, sem a qual ninguém verá o Senhor" (Hb 12.14). Ter estima pela santidade de Deus e viver em pureza é a única maneira de podermos ficar perto dele. "Quem pode subir o monte do Senhor? Quem pode permanecer em seu santo lugar? Somente os que têm as mãos puras e o coração limpo, que não se entregam aos ídolos e não juram em falso" (Sl 24.3-4). "Mostrarei minha santidade entre aqueles que se aproximarem de mim. Mostrarei minha glória diante de todo o povo" (Lv 10.3). Não há nada mais importante do que estar perto de Deus.

Há um momento na vida de todas nós em que ficamos *desesperadas* por saber que Deus está perto e que ouve nossas orações e dará resposta. Não teremos tempo para nos *acertarmos* com Deus; teremos de *estar em ordem* com ele. "Estejam certos disto: o Senhor separa o fiel para si; o Senhor responderá quando eu clamar a ele" (Sl 4.3). Se queremos ver nossas orações sendo respondidas no futuro, o momento de começar a viver uma vida reta, pura e santa é agora.

7. *Santidade significa deixar que Deus guarde você do pecado.* Santidade não é algo que você põe e tira como um chapéu. Ela é a vontade de Deus para nossa vida e algo que Deus planejou para nós desde o princípio: "Mesmo antes de criar o mundo, Deus nos amou e nos escolheu em Cristo para sermos santos e sem culpa diante dele. Ele nos predestinou para si, para nos

adotar como filhos por meio de Jesus Cristo, conforme o bom propósito de sua vontade" (Ef 1.4-5). Deus criou uma forma de vivermos em santidade. E ele pode nos manter *santas*. Quando nosso coração deseja viver em pureza e fazer a coisa certa, Deus nos guardará de cairmos em pecado.

Quando Abraão disse ao rei Abimeleque que Sara era sua irmã e não sua esposa, Abimeleque a levou para sua casa. Contudo, Deus disse a Abimeleque num sonho que ele em breve morreria, pois havia tomado a esposa de outro homem. Abimeleque disse: "Agi com total inocência. Minhas mãos estão limpas!" (Gn 20.5).

Deus respondeu a Abimeleque: "Sim, eu sei que você é inocente. Por isso o impedi de pecar e não deixei que a tocasse" (Gn 20.6).

Quando vivemos retamente, Deus nos *guarda* do pecado.

É somente pela graça de Deus que podemos viver em santidade, mesmo depois que resolvemos fazê-lo. Isso porque Deus nos capacita para que façamos aquilo que ele nos pede. No entanto, ainda assim precisamos *pedir-lhe* que nos capacite. Deus quer saber que sua santidade nos é importante o suficiente para que a busquemos. As pessoas são impelidas para a santidade porque ela é atraente, mesmo que essas pessoas resistam à presença da santidade em sua própria vida. Peça a Deus que realce sua beleza com a beleza da santidade dele.

– Minha oração a Deus –

Senhor, tu disseste em tua Palavra que não me chamaste para a impureza, mas sim para a santificação (1Ts 4.7). Tu me escolheste para ser santa e irrepreensível diante de ti. Sei que fui lavada, purificada e santificada pelo sangue de Jesus

(1Co 6.11). Colocaste sobre mim tua retidão e me capacitaste para que eu pudesse ser "verdadeiramente justa e santa" (Ef 4.24). Continua a purificar-me pelo poder de teu Espírito. Ajuda-me a apegar-me ao bem (Rm 12.9) e a manter-me pura (1Tm 5.22).

Senhor, ajuda-me a separar-me de qualquer coisa que não seja santa. Não quero desperdiçar minha vida com coisas que não têm valor algum. Dá-me discernimento para reconhecer aquilo que é sem valor e removê-lo de minha vida. Ajuda-me a não me entregar a coisas impuras, mas sim a escolher aquelas coisas que cumprem teus planos para minha vida. Capacita-me para que eu faça o que for necessário a fim de erradicar de minha vida tudo o que não for o que tens de melhor para mim. Mostra-me como destruir os ídolos de minha vida e eliminar qualquer fonte de pensamentos impuros, como programas de TV, filmes, livros, vídeos e revistas que não glorificam teu nome. Ajuda-me a examinar meus caminhos para que eu possa voltar a tuas veredas onde tiver me desviado. Capacita-me para que eu dê os passos necessários a fim de ser pura diante de ti.

Senhor, quero ser santa como tu és santo. Faze-me participante de tua santidade (Hb 12.10) e que meu espírito, alma e corpo sejam conservados íntegros (1Ts 5.23). Obrigada porque tu me guardarás pura e santa, de modo a estar totalmente preparada para aquilo que tens para mim.

– As promessas de Deus para mim –

Mesmo antes de criar o mundo, Deus nos amou e nos escolheu em Cristo para sermos santos e sem culpa diante dele.
EFÉSIOS 1.4

Felizes os que têm coração puro, pois verão a Deus.
MATEUS 5.8

Numa casa grande, alguns utensílios são de ouro e de prata, e outros, de madeira e de barro. Os utensílios de mais valor são reservados para ocasiões especiais, e os de menos valor, para uso diário. Se você se mantiver puro, será um utensílio para fins honrosos. Sua vida será limpa, e você estará pronto para que o Senhor da casa o empregue para toda boa obra.
2TIMÓTEO 2.20-21

Amados, visto que temos essas promessas, purifiquemo-nos de tudo que contamina o corpo ou o espírito, tornando-nos cada vez mais santos porque tememos a Deus.
2CORÍNTIOS 7.1

Um caminho largo atravessará a terra antes desabitada e será chamado Caminho de Santidade; os impuros jamais passarão por ele. Será somente para os que andam nos caminhos de Deus; os tolos jamais andarão por ele. Ao longo desse trajeto, leões não ficarão à espreita, nem qualquer outro animal feroz. Não haverá nenhum perigo; somente os redimidos andarão por ele. Os que foram resgatados pelo SENHOR *voltarão; entrarão cantando em Sião, coroados com alegria sem fim. A tristeza e o lamento desaparecerão, e eles ficarão cheios de alegria e felicidade.*
ISAÍAS 35.8-10

14
Senhor, dirige-me ao propósito para o qual fui criada

Quando meus filhos estavam crescendo, com frequência eu orava para que tivessem uma percepção de quem Deus os havia criado para serem e qual era seu propósito. Havia observado tantos jovens se debatendo e desperdiçando a vida por não terem ideia de que eram chamados para realizar algo maravilhoso no Senhor. Eu havia feito a mesma coisa quando era jovem e acabei tendo problemas sérios. Sem dúvida eu queria mais do que isso para meus filhos. Como resultado daquelas orações, jamais vi meus filhos sem um senso de propósito. Agora que estão com vinte e poucos anos, continuam a crescer em seus dons, e seus caminhos estão ficando cada vez mais claros. Não conhecem os detalhes do futuro, mas sabem que há um futuro para eles e que é bom.

Quando escrevi *O poder dos pais que oram* e compartilhei meus muitos anos de experiência em orar pelos filhos, recebi uma grande quantidade de mensagens de pessoas dizendo que gostariam que alguém tivesse orado por elas daquela forma enquanto cresciam. Temiam haver desperdiçado tempo demais tentando descobrir o que deveriam estar fazendo e ter deixado passar o propósito de Deus para a vida delas. Eu as encorajei com a seguinte boa-nova: *"Não importa quanto você tenha se desviado dos planos e propósitos que Deus tem para você, quando você entrega a vida ao Senhor e declara sua dependência absoluta dele, ele cria um caminho a partir de onde você está para onde você deveria estar e o coloca no rumo certo.* Pode levar mais tempo do que teria levado, se você tivesse tomado o caminho certo desde o começo, mas, se você continuar a andar perto de Deus, ele levará você para onde é seu lugar".

Em momento algum pense que é tarde demais para você. A Bíblia diz: "Pois as bênçãos de Deus e o seu chamado jamais podem ser anulados" (Rm 11.29). Isso significa que ele não toma de volta os dons e as capacidades que lhe concede. Você sempre terá seus dons. No entanto, isso não vale para a unção. A unção é a presença do toque de Deus sobre seus dons que dá a eles poderes sobrenaturais de penetrar a escuridão e de trazer vida e luz. Esse toque espiritual do Espírito Santo pode ser perdido com o pecado sem arrependimento. Todas nós já vimos pessoas que caíram em imoralidade e ainda assim continuaram usando seus dons sem reconhecer que a unção não se encontrava mais lá. Estavam tão enganadas e cegas pelo pecado que nem se deram conta do que haviam perdido.

Todas nós temos um propósito

Cada uma de nós tem um propósito no Senhor. No entanto, muitas de nós não se dão conta disso. E quando não temos uma compreensão exata de nossa identidade, lutamos para ser uma pessoa ou algo diferente do que somos. Nós nos comparamos com outras pessoas e achamos que sempre ficamos aquém. Quando não nos tornamos aquilo que *nós* achamos que *devemos* ser, ficamos críticas de nós mesmas e de nossa vida, o que nos deixa inseguras, hipersensíveis, frustradas, críticas em relação aos outros e insatisfeitas. Voltamo-nos para nós mesmas e constantemente pensamos em nós e no que *deveríamos* ser. Isso nos obriga a um esforço tremendo para fazer com que a vida seja da forma como a imaginamos. Em casos extremos, acabamos mentindo sobre nós mesmas e nos tornamos desonestas sobre quem realmente somos. Quando você está perto de pessoas que não têm ideia daquilo que foram chamadas a fazer, pode sentir a inquietação, frustração, ansiedade e falta de paz delas.

Deus não quer isso para você. Ele deseja que você tenha uma visão clara para sua vida. Deseja revelar-lhe quais são seus dons e talentos e mostrar-lhe como desenvolvê-los da melhor maneira possível e usá-los para a glória dele.

Saiba quem você é e para onde está indo

Predestinação significa que seu destino já foi determinado. A Bíblia diz que somos predestinados de acordo com os propósitos e a vontade de Deus (Ef 1.11). Isso quer dizer que Deus sabe para onde devemos nos dirigir, e ele sabe como chegar lá. No entanto, mesmo que você tenha um propósito e um destino, não pode alcançá-lo se não estiver ligada àquele que lhe deu essas coisas em primeiro lugar. Quando você não fica ligada àquele que planejou seu destino, num momento de fraqueza, como paixão ou raiva, você pode acabar abrindo mão de tudo. Vemos sempre no noticiário gente que faz isso. Quando você entende com clareza que Deus tem um propósito elevado para sua vida, você não joga tudo para o alto com uma decisão insensata. Não permite que a insegurança estrague sua vida.

Não parece justo que a insegurança seja pecado. É como bater em alguém que já está caído. A insegurança, no entanto, é falta de fé. E falta de fé é pecado, pois significa falta de confiança em Deus. Quando nos sentimos inseguras sobre qual é nosso propósito, significa que não confiamos nossa vida a Deus. Não acreditamos que aquilo que ele diz sobre nós em sua Palavra seja verdade. A insegurança nos faz concentrar toda a atenção naquilo que *nós* queremos, em vez de nos concentrarmos nele e no que *ele* quer.

Todas nós queremos fazer alguma coisa significativa da vida, e todas temos o potencial de fazer algo extraordinário. Isso porque somos do Senhor e seu Espírito habita em nós. Pelo fato de a grandeza dele estar *em* nós, ele pode realizar grandes coisas *por nosso intermédio*. Só precisamos nos lembrar de não confundir o sucesso aos olhos das pessoas com o sucesso aos olhos de Deus. Homens e mulheres do mundo gloriam-se em suas realizações. Os filhos de Deus gloriam-se no Senhor. "Que o sábio não se orgulhe de sua sabedoria, nem o poderoso de seu poder, nem o rico de suas riquezas. Aquele que deseja se orgulhar, que se orgulhe somente disto: de me conhecer e entender que eu sou o SENHOR" (Jr 9.23-24). Quando você sabe que pertence ao Senhor e confia na direção dele, sente-se muito segura.

Entregue seus sonhos

Descobri que jamais conseguimos alcançar o que Deus tem para nós e nos tornar tudo o que ele nos criou para ser sem entregarmos a ele nossos sonhos. Jesus disse: "Se tentar se apegar à sua vida, a perderá. Mas, se abrir mão de sua vida por minha causa, a encontrará" (Mt 16.25). Isso significa que, se desejamos ter uma vida segura no Senhor, precisamos abrir mão de *nossos* planos e dizer: "Seja feita a *tua* vontade,

Senhor, e não a minha". É um passo difícil, porque abrir mão de nossos sonhos é a última coisa que queremos fazer. No entanto, precisamos pedir a Deus que tire de nosso coração os sonhos que não são dele e realize os que são.

Se você tem um sonho que não pertence a Deus, quando lhe entregá-lo ele afastará de você o desejo de realizar esse sonho e lhe dará o que *ele* tem para você. Pode ser muito doloroso, especialmente se for um sonho ao qual você se apegou por muito tempo. Mas você não quer passar a vida correndo atrás de sonhos que Deus não abençoará. Se o fizer, ficará sempre frustrada e não verá o sonho realizar-se. Você deseja viver os sonhos que Deus coloca em seu coração.

Mesmo que os sonhos que você tenha em seu coração sejam de Deus, ainda assim terá de entregá-los. Isso porque Deus quer que você se apegue a ele e não a seus sonhos. Ele não quer que você tente realizá-los; quer que confie nele, e ele os realizará.

Encontrando seu propósito

Todas nós precisamos ter uma percepção da razão de estarmos aqui. Todas nós precisamos saber que fomos criadas com um propósito. Só encontraremos realização quando estivermos fazendo aquilo para que fomos criadas. No entanto, Deus não nos conduzirá às grandes coisas para as quais ele nos chamou a menos que nos mostremos fiéis nas coisas pequenas que ele nos deu. Assim, se você está fazendo coisas que considera pequenas neste instante, alegre-se! Deus a está preparando para grandes coisas no futuro.

Não pense, nem por um momento, que é tarde demais para alcançar o propósito que Deus tem para você, se não o alcançou até agora. *Nunca* é tarde demais. Eu fiz tudo muito tarde.

Só vim a conhecer o Senhor com 28 anos de idade. Casei-me tarde, tive filhos tarde e só comecei a escrever profissionalmente depois dos 40. Todo o meu ministério surgiu quando estava na casa dos 40 e, em grande parte, na casa dos 50. Acredite em mim quando digo que, se você ainda está respirando, Deus tem um propósito para você. Ele tem algo para você fazer *agora*.

Se você não tem certeza do que Deus deseja que você faça, comece como uma intercessora. Todas nós somos chamadas para orar por outros. Comece servindo em sua igreja. Todas nós fomos chamadas para nos sujeitar a uma comunidade de fiéis e ajudar outros. Quando somos fiéis a essas coisas, Deus nos conduz a outras.

Não se esqueça de que Deus "nos salvou e nos chamou para uma vida santa, não porque merecêssemos, mas porque este era seu plano desde os tempos eternos: mostrar sua graça por meio de Cristo Jesus" (2Tm 1.9). "Deus, em sua graça, nos concedeu diferentes dons" (Rm 12.6). Pois "cada um tem seu próprio dom, concedido por Deus: um tem este tipo de dom, o outro, aquele" (1Co 7.7). Assim, "cada um continue a viver na situação em que o Senhor o colocou, e cada um permaneça como estava quando Deus o chamou" (1Co 7.17).

Peço que Deus "lhes dê sabedoria espiritual e entendimento para que cresçam no conhecimento dele. Oro para que seu coração seja iluminado, a fim de que compreendam a esperança concedida àqueles que ele chamou e a rica e gloriosa herança que ele deu a seu povo santo" (Ef 1.17-18). "Que ele conceda os desejos do seu coração e lhe dê sucesso em todos os seus planos" (Sl 20.4).

Que você nunca se esqueça, querida irmã, de que Deus tem um propósito importante para sua vida e que é algo bom.

– Minha oração a Deus –

Senhor, agradeço-te, pois tu me chamaste com santa vocação, não de acordo com minhas obras, mas de acordo com tua determinação e graça que me foi dada em Cristo Jesus (2Tm 1.9). Sei que teu plano para mim já existia antes de eu te conhecer e que tu o realizarás. Ajuda-me a andar "de modo digno do chamado" que recebi (Ef 4.1). Sei que existe um plano determinado para mim e que tenho um destino que agora será cumprido.

Ajuda-me a viver com um senso de propósito e com entendimento do chamado que tu me deste. Entrego todo o meu orgulho, egoísmo e qualquer outra coisa que me impeça de alcançar tudo o que tens para mim. Não quero deixar passar teu pleno propósito para minha vida porque não caminhei conforme tua vontade. Arrependo-me de cada dia que não vivi inteiramente para ti. Ajuda-me a viver agora da forma como tu queres.

Senhor, ajuda-me a entender o chamado que tu tens para minha vida. Remove qualquer desânimo que eu possa sentir e no lugar dele coloca a alegre expectativa do que tu vais fazer por meu intermédio. Usa-me como teu instrumento para fazer uma diferença positiva na vida daqueles que tu colocas em meu caminho. Ajuda-me a descansar na confiança de saber que teu tempo é perfeito. Sei que, qualquer que seja meu chamado, tu me capacitarás para cumpri-lo.

Peço-te que nada me afaste de realizar o plano que tens para mim. Que eu nunca me desvie daquilo que me chamaste para ser e fazer. Dá-me uma visão para minha vida e um forte senso de propósito. Confio minha identidade a ti e coloco meu destino em tuas mãos. Mostra-me se aquilo que estou fazendo agora é o que devo fazer. Quero que aquilo que tu estás construindo em minha vida dure toda a eternidade. Não quero perder tempo correndo atrás de coisas que não são o que tu tens para mim. Ajuda-me a ficar contente onde estou, sabendo que não me deixarás nesse lugar para sempre.

Senhor, sei que fazes "todas as coisas cooperarem para o bem daqueles que o amam" (Rm 8.28). Não quero supor que sei qual é meu propósito, tampouco quero passar a vida tentando descobrir o que devo fazer e errar o alvo. Assim, peço-te que me mostres claramente quais são os dons e talentos que tu colocaste em mim. Guia-me no caminho em que devo andar à medida que vou crescendo nesses dons e talentos. Capacita-me para que os use de acordo com tua vontade e para tua glória.

– As promessas de Deus para mim –

Vivam de modo digno do chamado que receberam. Sejam sempre humildes e amáveis, tolerando pacientemente uns aos outros em amor. Façam todo o possível para se manterem unidos no Espírito, ligados pelo vínculo da paz.
EFÉSIOS 4.1-3

Por isso, irmãos, trabalhem ainda mais arduamente para mostrar que, de fato, estão entre os que foram chamados e escolhidos. Façam essas coisas e jamais tropeçarão.
2PEDRO 1.10

Vocês, porém, são povo escolhido, reino de sacerdotes, nação santa, propriedade exclusiva de Deus. Assim, vocês podem mostrar às pessoas como é admirável aquele que os chamou das trevas para sua maravilhosa luz.
1PEDRO 2.9

Ele designou alguns para apóstolos, outros para profetas, outros para evangelistas, outros para pastores e mestres. Eles são responsáveis por preparar o povo santo para realizar sua obra e edificar o corpo de Cristo.
EFÉSIOS 1.11-12

Depois de predestiná-los ele os chamou, e depois de chamá-los, os declarou justos, e depois de declará-los justos, lhes deu sua glória.
ROMANOS 8.30

15
Senhor, guia-me em todos os meus relacionamentos

Certa vez ouvi uma entrevista de rádio com alguns membros de uma gangue de Los Angeles. Na época, o índice de criminalidade estava extremamente alto naquela cidade por causa de uma onda assustadora de criminosos que passavam de carro atirando e de homicídios cometidos por membros de gangues. Esses rapazes — alguns mal entrando na adolescência e outros com pouco mais de 20 anos — disseram que o principal motivo de terem se juntado a uma gangue foi saber que pertenciam a um grupo. Numa declaração assustadora, alguns deles admitiram que fariam o que fosse preciso para serem aceitos e respeitados pelo grupo, até mesmo cometer um homicídio.

Alguns dos rapazes revelaram que o teste para saber se seriam mesmo aceitos na gangue era sair às ruas e matar alguém. Não havia nenhum outro motivo para o homicídio, senão preencher um requisito de iniciação e provar que fariam qualquer coisa pelo grupo. Alguns confessaram que odiaram cometer tal ato e desejavam que houvesse outra alternativa. Contudo, estavam desesperados para pertencer a uma família, então foram em frente e mataram. Foi uma revelação assustadora para todos nós que morávamos lá, pois significava que não havia lugar seguro.

Por essa mesma época, um amigo nosso estava em frente à própria casa em plena luz do dia e foi abordado por dois desses meninos. Eles estavam andando pela rua, que ficava num bairro residencial muito agradável e tranquilo, quando um deles puxou uma arma, atirou em nosso amigo à queima-roupa e fugiu. Não houve nenhum furto ou tentativa de qualquer outro delito. Nosso amigo devia ter anjos cuidando dele, pois sobreviveu, o que não acontece com a maior parte das pessoas que são vítimas desse tipo de ocorrência. No entanto, o dano causado ao seu corpo afetou muito sua habilidade de realizar o trabalho em que se especializara, e ele levou anos para se recuperar.

Os rapazes da entrevista não tinham nenhum senso de propósito para a vida deles além de pertencer a uma gangue. A maioria havia sido criada sem pai e, em alguns casos, também sem mãe. Tenho certeza de que, se cada um deles tivesse um forte senso de família, amor e aceitação de outras pessoas, jamais teria escolhido esse estilo de vida destrutivo. Isso ilustra quão desesperadamente as pessoas precisam de outras. Quando jovens são privados de relacionamentos saudáveis, no temor do Senhor, buscam relacionamentos doentios. Assim é que se formam as gangues.

Todas nós precisamos desesperadamente de um senso de família, de relacionamentos, de saber que fazemos parte de um grupo. Se você não percebe essa necessidade em si mesma, é porque provavelmente ela sempre foi preenchida. Deus nos criou para vivermos em família. Temos uma carência natural de fazer parte de algo que nos dê um senso de aceitação, afirmação, de que somos necessárias e valorizadas. Contudo, mesmo que nunca tenhamos recebido isso de nossa própria família biológica, tenho boas notícias. Deus nos coloca em famílias *espirituais*. Em vários sentidos elas podem ser igualmente importantes.

A importância de ter uma família espiritual

Deus é nosso Pai. Nós somos filhos de Deus. Isso significa que nós, que cremos em Jesus, somos todos irmãos e irmãs. A família é grande demais para viver toda numa mesma casa, de modo que Deus nos coloca em casas separadas. Podemos chamá-las de igrejas. O relacionamento dentro dessas famílias da igreja é essencial para nossa felicidade. A maneira como nos relacionamos com outras pessoas na igreja afetará em grande parte a qualidade de nossa vida no Senhor. Não podemos jamais alcançar nosso destino pleno separadas das pessoas que Deus coloca em nossa vida. Não quero dizer que elas necessariamente nos ajudarão a fazer nossas coisas, mas o relacionamento com elas contribuirá para nosso sucesso.

É importante dividir o jugo com pessoas que andam com Deus. A prestação de contas é resultante de relacionamentos próximos com cristãos firmes, que por sua vez também prestam contas a outros cristãos firmes. É importante prestar contas, pois todas nós podemos ser enganadas. Temos um ponto cego. Precisamos de pessoas que nos ajudem a enxergar a verdade sobre nós mesmas e nossa vida. Além disso, precisamos do tipo de relacionamento que não se desintegra quando a verdade é dita em amor.

Isso não significa que você jamais terá problemas em seus relacionamentos na igreja ou que, se tiver, será um sinal de que está no lugar errado. *Todos* os relacionamentos têm coisas que precisam ser trabalhadas. Superar esses problemas é o que enriquece a convivência. Contudo, precisamos aprender a proteger o relacionamento com nossa família espiritual em oração.

Seu inimigo não quer que você faça parte de uma família espiritual ou tenha relacionamentos com pessoas tementes a Deus. Isso porque ele sabe como esses relacionamentos são benéficos para você. Sabe que, se você não está ligada a uma família espiritual e comprometida com ela, acabará de alguma forma vivendo em rebeldia, quer seja essa sua intenção, quer não. Ele sabe que você jamais será tudo o que Deus a criou para ser se não estiver ligada a uma família espiritual. É por isso que ele tentará romper seus relacionamentos. E é por isso que você deve protegê-los com a oração.

Mais do que apenas amigos

A Bíblia fala tanto da importância de ter o tipo certo de amizades, que não podemos tratar com descaso essa parte de nossa vida. "O justo dá bons conselhos a seus amigos, mas os perversos os desencaminham" (Pv 12.26). Se é verdade que nos tornamos como nossos amigos, então devemos escolhê--los com sabedoria. A principal qualidade que se deve procurar numa amiga chegada não é aparência, talento, riqueza, inteligência, influência, esperteza ou popularidade, mas sim quanto ela ama e teme a Deus. A pessoa que faz o que é necessário para viver dentro da perfeita vontade de Deus é o tipo de amiga que lhe transmite algo da benevolência do Senhor cada vez que você estiver com ela.

Deus não quer que estejamos em jugo desigual com pessoas que não creem em Jesus, mas isso não significa que não vamos mais nos relacionar com aqueles que não conhecem o Senhor. Pelo contrário: somos os instrumentos de Deus para trazer outros a seu reino. No entanto, nossos relacionamentos mais próximos, aqueles que mais nos influenciam, precisam ser com pessoas que amam e temem a Deus. Se você não tem amigas chegadas que sejam cristãs, ore para que amigas tementes a Deus e desejáveis venham a fazer parte de sua vida.

Sete bons sinais de uma amiga desejável

1. *Uma amiga desejável lhe diz a verdade em amor.* "As feridas feitas por um amigo sincero são melhores que os beijos de um inimigo" (Pv 27.6).

2. *Uma amiga desejável lhe dá bons conselhos.* "O conselho sincero de um amigo é agradável como perfume e incenso" (Pv 27.9).

3. *Uma amiga desejável a refina.* "Como o ferro afia o ferro, assim um amigo afia o outro" (Pv 27.17).

4. *Uma amiga desejável ajuda você a crescer em sabedoria.* "Quem anda com os sábios se torna sábio, mas quem anda com os tolos sofrerá as consequências" (Pv 13.20).

5. *Uma amiga desejável é chegada a você.* "Alguns que se dizem amigos destroem uns aos outros, mas o verdadeiro amigo é mais próximo que um irmão" (Pv 18.24).

6. *Uma amiga desejável ama e apoia você.* "O amigo é sempre leal, e um irmão nasce na hora da dificuldade" (Pv 17.17).

7. *Uma amiga desejável é socorro em tempos de dificuldade.* "É melhor serem dois que um, pois um ajuda o outro a alcançar o sucesso. Se um cair, o outro o ajuda a levantar-se. Mas quem cai sem ter quem o ajude está em sérios apuros" (Ec 4.9-10).

Se você tem amigas com essas qualidades, proteja essas amizades com orações. Se você tem amigas com qualidades nada desejáveis, precisa orar por elas também.

Sete sinais de uma amiga indesejável

1. *Uma amiga indesejável é imoral e não tem consideração pelos outros.* "Vocês não devem se associar a alguém que afirma ser irmão mas vive em imoralidade sexual, ou é avarento, ou adora ídolos, ou insulta as pessoas, ou é bêbado ou explora os outros. Nem ao menos comam com gente assim" (1Co 5.11).

2. *Uma amiga indesejável é inconstante e instável.* "Meu filho, tema o SENHOR e o rei e não se associe com os rebeldes, pois serão destruídos repentinamente; quem sabe que castigo virá do SENHOR e do rei?" (Pv 24.21-22).

3. *Uma amiga indesejável está sempre irada.* "Não faça amizade com os briguentos, nem ande com quem se ira facilmente, pois aprenderá a ser igual a eles e colocará a si mesmo em perigo" (Pv 22.24-25).

4. *Uma amiga indesejável dá conselhos ímpios.* "Feliz é aquele que não segue o conselho dos perversos, não se detém no caminho dos pecadores, nem se junta à roda dos zombadores" (Sl 1.1).

5. *Uma amiga indesejável é incrédula e iníqua.* "Não se ponham em jugo desigual com os descrentes. Como pode a justiça ser parceira da maldade? Como pode a luz conviver com as trevas? Que harmonia pode haver entre Cristo e o diabo? Como alguém que crê pode se ligar a quem não crê?" (2Co 6.14-15).

6. *Uma amiga indesejável é insensata.* "Quem anda com os sábios se torna sábio, mas quem anda com os tolos sofrerá as consequências" (Pv 13.20).

7. *Uma amiga indesejável é irreverente para com Deus e suas leis.* "Sou amigo de todos que te temem, dos que obedecem às tuas ordens" (Sl 119.63).

Se você tem amigas com características como essas, peça a Deus que lhe envie novas amigas enquanto você ora para que as antigas sejam transformadas.

Ore por seus relacionamentos

Nos relacionamentos, os ferimentos graves com frequência podem ser fatais. Mesmo quando as relações não são completamente destruídas, as feridas podem levar anos para sarar. É mais fácil *proteger* os relacionamentos com orações do que *consertá-los*. A maneira como aprendemos a lidar, viver e interagir com nossos relacionamentos ao longo de nosso crescimento será levada para a idade adulta e afeta cada um de nossos relacionamentos importantes ou chegados no presente. E talvez seja exatamente dessa forma que o diabo tente destruí-los. Peça a Deus que a faça uma boa amiga para outras pessoas e lhe dê um coração puro e amoroso em todos os seus relacionamentos. Ore especialmente pelas pessoas com as quais você vive. A Bíblia diz que "uma cidade ou família dividida contra si mesma se desintegrará" (Mt 12.25). Não é possível ter paz se você está vivendo em discórdia com alguém em seu lar.

Não deixe seus relacionamentos por conta do acaso. Ore para que pessoas tementes a Deus venham a fazer parte de sua vida, pessoas com as quais você possa associar-se. Não force relacionamentos, ore para eles acontecerem. Então, quando se iniciarem, cuide deles com orações. Isso não significa que você precisa ter uma porção de amigos. Há uma grande força em um pequeno número de pessoas quando estão envolvidas e são firmes no Senhor. A qualidade de seus relacionamentos é mais importante do que a quantidade.

Ao longo de toda a sua vida, os relacionamentos serão essenciais para sua felicidade. Não é saudável ficar isolada, emocional ou espiritualmente. Os relacionamentos corretos a enriquecerão e lhe proporcionarão equilíbrio e perspectiva saudável. Pessoas tementes a Deus ajudam você a andar na direção certa, e a bondade delas será passada para você. A qualidade de seus relacionamentos determina a qualidade de sua vida. E isso é algo digno de oração.

– Minha oração a Deus –

Senhor, coloco diante de ti cada um de meus relacionamentos e peço-te que os abençoes. Peço-te que cada um deles te glorifique. Ajuda-me a escolher minhas amizades com sabedoria para que não perca o rumo. Dá-me discernimento e força para separar-me de qualquer pessoa que não seja uma boa influência. Entrego meus relacionamentos a ti e peço que tua vontade seja feita em cada um deles.

Quanto a meus relacionamentos mais difíceis, peço-te que tua paz reine sobre eles. Coloco diante de ti especificamente meu relacionamento com (*mencione o nome de uma amiga difícil*). Sei que dois não podem andar juntos a menos que haja acordo entre eles (Am 3.3), por isso ajuda-me a encontrar um ponto de acordo, unidade e consonância. Naquelas coisas em que uma de nós precisa mudar, peço-te que nos transformes. Quebra qualquer "muro de inimizade" (Ef 2.13-15) ou mal-entendido. Entrego essa pessoa em tuas mãos e peço-te que faças como quiseres com nossa relação para que ela te glorifique.

Peço-te por meu relacionamento com cada membro de minha família. Peço especificamente por meu relacionamento com (*cite o nome do membro da família com o qual você está mais preocupada*). Peço-te que tragas cura, reconciliação e restauração onde são necessárias. Abençoa e fortalece nosso convívio.

Peço-te pelos relacionamentos que tenho com pessoas que não te conhecem, Senhor. Dá-me palavras para dizer-lhes que voltem o coração delas para ti. Ajuda-me a ser luz para elas. Peço-te especificamente por (*nome de uma pessoa que não é cristã ou que se desviou de Deus*). Toca no coração dessa pessoa e abre seus olhos para que ela te receba e possa te seguir fielmente.

Peço-te que amigos tementes a ti, pessoas exemplares e mentores venham a fazer parte de minha vida. Envia pessoas que falarão a verdade em amor. Peço-te especialmente que haja em minha vida mulheres que sejam confiáveis, bondosas, amorosas e fiéis. Acima de tudo, peço-te que sejam mulheres firmes na fé que contribuirão para minha vida e eu para a vida delas. Que possamos mutuamente elevar os patamares de nossas aspirações. Que o perdão e o amor fluam livremente entre nós. Faze-me ser tua luz em todos os meus relacionamentos.

– As promessas de Deus para mim –

Portanto, vocês já não são estranhos e forasteiros, mas concidadãos do povo santo e membros da família de Deus. Juntos, somos sua casa, edificados sobre os alicerces dos apóstolos e dos profetas. E a pedra angular é o próprio Cristo Jesus. Nele somos firmemente unidos, constituindo um templo santo para o Senhor. Por meio dele, vocês também estão sendo edificados como parte dessa habitação, onde Deus vive por seu Espírito.

EFÉSIOS 2.19-22

Deus dá uma família aos que vivem sós; liberta os presos e os faz prosperar. Os rebeldes, porém, ele faz morar em terra árida.
SALMOS 68.6

Livrem-se de toda amargura, raiva, ira, das palavras ásperas e da calúnia, e de todo tipo de maldade. Em vez disso, sejam bondosos e tenham compaixão uns dos outros, perdoando-se como Deus os perdoou em Cristo.
EFÉSIOS 4.31-32

Então não seremos mais imaturos como crianças, nem levados de um lado para outro, empurrados por qualquer vento de novos ensinamentos, e também não seremos influenciados quando nos tentarem enganar com mentiras astutas. Em vez disso, falaremos a verdade em amor, tornando-nos, em todos os aspectos, cada vez mais parecidos com Cristo, que é a cabeça. Ele faz que todo o corpo se encaixe perfeitamente. E cada parte, ao cumprir sua função específica, ajuda as demais a crescer, para que todo o corpo se desenvolva e seja saudável em amor.
EFÉSIOS 4.14-16

16
Senhor, mantém-me no centro de tua vontade

Quando meus filhos e eu caminhamos pelos escombros de nossa casa em Northridge, Califórnia, pouco depois de ela ter sido destruída pelo terremoto de Northridge em 1993, todos nós choramos. Sabíamos que, se estivéssemos na casa quando tudo aconteceu, talvez não tivéssemos sobrevivido ao terremoto. Todos nós gostávamos daquela casa maravilhosa e detestamos ter de deixá-la quando nos mudamos, poucos meses antes. A decisão de nos mudarmos para outro estado envolveu muita oração e lutas interiores, mas estávamos certos de que era a direção de Deus. Não havíamos sequer vendido a casa antes de nos mudarmos, pois sentimos que devíamos sair imediatamente. Se não tivéssemos buscado a vontade de Deus para nossa vida e seguido-a, mesmo que com relutância, estaríamos lá quando o terremoto aconteceu.

A vontade de Deus é um lugar de segurança. Não estou dizendo que qualquer um que se encontrava na Califórnia durante o terremoto estivesse fora da vontade de Deus. No entanto, creio que *nós* estaríamos. Creio também que a casa não foi vendida porque qualquer pessoa que estivesse nela naquele momento teria ficado gravemente ferida ou morrido. Quando andamos na vontade de Deus, encontramos segurança. Quando vivemos fora da vontade de Deus, perdemos sua proteção. Todas nós queremos estar no centro da vontade de Deus. É por isso que não devemos prosseguir em uma carreira, uma mudança ou qualquer grande alteração em nossa vida sem saber se é a vontade de Deus. Devemos pedir a Deus com frequência que nos mostre qual é sua vontade e nos guie dentro dela. Devemos pedir que ele fale ao nosso coração para que possa nos dizer o que deseja. "Seus ouvidos o ouvirão. Uma voz atrás de vocês dirá: 'Este é o caminho pelo qual devem andar', quer se voltem para a direita, quer para a esquerda" (Is 30.21). Minha família e eu seremos sempre gratos por termos dado ouvidos a Deus e seguido sua direção.

Quatro coisas boas e verdadeiras sobre a vontade de Deus

1. *Seguir a vontade de Deus não significa que jamais teremos problemas.* Os problemas são parte da vida. Viver na vontade de Deus é ter realização e paz em meio aos problemas. Há uma grande segurança em saber que você está andando na vontade de Deus e fazendo o que ele quer que você faça. Quando você tem certeza disso, pode lidar melhor com o que a vida lhe traz. Portanto, não pense que a presença de problemas em sua vida significa que você está fora da vontade de Deus. Deus usa os problemas para aperfeiçoá-la. Há uma grande diferença entre estar fora da vontade de Deus e estar sendo podada ou provada por Deus. Ambas as situações causam desconforto, mas uma leva à vida e a outra não. Em uma você terá paz, não importa quanto seja incômoda; na outra não.

2. *Seguir a vontade de Deus não é fácil.* A vida de Jesus confirma que seguir a vontade de Deus não é sempre divertido, gostoso, agradável e fácil. Jesus estava fazendo a vontade de Deus quando foi para a cruz. Ele disse: "Pois desci do céu para fazer a vontade daquele que me enviou, e não minha própria vontade" (Jo 6.38). Se existe alguém que poderia ter dito: "Não quero seguir a vontade de Deus hoje", esse alguém é Jesus. No entanto, ele a cumpriu com perfeição. E agora ele nos capacita para que também o façamos.

3. *Seguir a vontade de Deus pode causar-lhe grande desconforto.* Na verdade, se você nunca se sente desconfortável e não precisa se esforçar em sua caminhada com o Senhor, então eu questionaria se você está de fato *na* vontade de Deus. Minha experiência pessoal é de que o desconforto e o esforço são constantes ao andar na vontade de Deus.

4. *Seguir a vontade de Deus não é algo automático.* Isso porque Deus nos deu a opção de sujeitarmo-nos a ele ou não. Tomamos essa decisão todos os dias. Vamos *buscar* sua vontade? Vamos lhe *pedir* sabedoria? Vamos *fazer* o que ele ordena? "Não ajam de forma impensada, mas procurem entender a vontade do Senhor" (Ef 5.17). A vontade de Deus é a forma como escolhemos viver cada dia de nossa vida.

Deus não quer que você viva a vida para os desejos da carne, mas "fazendo a vontade de Deus" (1Pe 4.2). Ele deseja aperfeiçoar você "em tudo que precisa" para cumprir a sua vontade, operando em você "tudo que é agradável a ele" (Hb 13.21). "Pois Deus está agindo em vocês, dando-lhes o desejo e o poder de realizarem aquilo que é do agrado dele" (Fp 2.13). Peço a Deus que em tudo o que você fizer se conserve perfeita e plenamente convicta em toda a vontade de Deus (Cl 4.12).

O melhor lugar para começar a buscar a vontade de Deus para sua vida é este: "Sejam gratos em todas as circunstâncias, pois essa é a vontade de Deus para vocês em Cristo Jesus" (1Ts 5.18). Agradeça-lhe por mantê-la no centro da vontade dele, e peça-lhe que guie você a cada passo. É tão bom ter a certeza de que estamos no caminho certo e realizando o que Deus *deseja*, que sei que você fará o que for preciso para ter essa experiência.

– Minha oração a Deus –

Senhor, peço-te que me concedas "pleno conhecimento de sua vontade e também sabedoria e entendimento espiritual" (Cl 1.9). Ajuda-me a andar de maneira digna, completamente agradável a ti, dando frutos em toda boa obra e crescendo no conhecimento de teus caminhos. Guia-me a cada passo. Dirige-me "pela tua justiça" e "remove os obstáculos do teu caminho" (Sl 5.8). Ao me achegar a ti e caminhar num relacionamento próximo contigo a cada dia, peço-te que me leves para onde devo ir.

Assim como Jesus disse: "Que seja feita a tua vontade, e não a minha" (Lc 22.42), também eu digo a ti: não seja feita a minha vontade, e sim a tua em minha vida. "Tenho prazer em fazer tua vontade, meu Deus" (Sl 40.8). Tu és mais importante para mim do que qualquer outra coisa. Tua vontade é mais importante para mim do que meus desejos. Quero viver como tua serva, fazendo tua vontade de coração (Ef 6.6).

Senhor, alinha meu coração com o teu. Ajuda-me a ouvir tua voz dizendo: "Este é o caminho, ande por ele". Mostra-me se estou fazendo algo fora de tua vontade. Fala-me por tua Palavra para que eu tenha entendimento. Mostra-me a área de minha vida em que não estou bem dentro do alvo. Se houver algo que eu deva fazer, revela-me para que eu possa corrigir o rumo. Quero fazer apenas aquilo que tu desejas de mim.

Senhor, sei que não devemos dirigir nossos próprios passos (Jr 10.23). Por isso, peço que tu dirijas meus passos. Só tu sabes o caminho que devo seguir. Não quero sair do caminho em que tu queres que eu ande e acabar chegando ao lugar errado. Quero alcançar tudo o que tens para mim e me tornar tudo o que me criaste para ser ao andar dentro de tua perfeita vontade para minha vida no presente.

– As promessas de Deus para mim –

Nem todos que me chamam: "Senhor! Senhor!" entrarão no reino dos céus, mas apenas aqueles que, de fato, fazem a vontade de meu Pai, que está no céu.
Mateus 7.21

Vocês precisam perseverar, a fim de que, depois de terem feito a vontade de Deus, recebam tudo que ele lhes prometeu.
Hebreus 10.36

Lembrem-se de que é melhor sofrer por fazer o bem, se for da vontade de Deus, do que por fazer o mal.
1Pedro 3.17

Portanto, se vocês sofrem porque cumprem a vontade de Deus, continuem a fazer o que é certo e confiem sua vida àquele que os criou, pois ele é fiel.
1Pedro 4.19

E este mundo passa, e com ele tudo que as pessoas tanto desejam. Mas quem faz o que agrada a Deus vive para sempre.
1João 2.17

17
Senhor, protege a mim e a tudo o que prezo

Há pouco tempo, tive o privilégio de ficar em um apartamento num condomínio de frente para a praia. Esse apartamento específico fica na cobertura e uma parte dele — que inclui o quarto e as salas de estar e de jantar — é toda envidraçada, com vista para o mar. A visão é arrebatadora.

Na primeira manhã em que acordei lá, abri as cortinas e voltei para a cama, a fim de olhar o mar e fazer algumas anotações. Pelo fato de o apartamento ser muito alto, de onde eu estava só podia ver o mar e o céu. Para ver a praia, teria de ir até a sala, sair na sacada e olhar acima do parapeito.

Estava absorta em meus pensamentos, perdida no azul do céu e do mar quando de repente um avião grande passou pela janela, bem na altura do olhar. Estava sobre a água, mas parecia muito perto. A aparição súbita de algo tão enorme e barulhento quase fez meu coração parar. Fui envolvida por uma onda de pânico e medo tão forte que senti uma pontada de dor aguda no peito. Fiquei aterrorizada com o que vi e chocada com minha reação. Não me lembro de ter reagido tão violentamente a algo que não era, de fato, um perigo. No entanto, foi muito inesperado, e jamais havia pensado que veria um avião na mesma altura que eu estava. Senti-me absolutamente vulnerável. Percebi naquele momento que a única coisa que me separava da morte instantânea era a mão de Deus e o piloto que era um ser humano de valor.

Antes do Onze de Setembro, um avião entrando pela janela não era um pensamento que teria passado por minha mente. No entanto, a possibilidade sempre existiu, quer eu me desse conta disso, quer não. Comecei a me perguntar quantas outras coisas potencialmente perigosas encontram-se ao nosso redor todos os dias. Coisas que não vemos até que os planos do mal as façam explodir em nossa vida, perigos que nem sequer podemos imaginar até que colidam conosco, transformando-nos para sempre.

Pessoalmente, creio que nosso Pai celeste cuida de nós e nos protege do perigo mais do que nos damos conta. Mas não se trata de uma proteção que simplesmente possamos tomar por certa. Devemos orar por ela com frequência.

Ser protegida por Deus deve-se em parte à obediência a ele e à vida dentro de sua vontade. Quando não fazemos nem uma coisa nem outra, saímos da cobertura de sua proteção. Não ouvimos a voz dele nos dizendo qual é o caminho a seguir. Quantas pessoas não teriam sido poupadas de uma tragédia, se ao menos tivessem pedido a Deus que lhes mostrasse o que fazer e, então, lhe obedecido? Ou se ao menos estivessem ouvindo?

Lembro-me de estar dirigindo certa vez em meu carro 4x4 alguns dias depois de uma tempestade de neve. Ao me aproximar lentamente de um farol vermelho num cruzamento movimentado, pisei no freio, mas o carro não respondeu. Eu estava em cima de uma poça de gelo escuro e totalmente invisível no asfalto. O cruzamento era composto de duas avenidas de pista dupla com valas fundas de escoamento de cada lado. Havia automóveis cruzando nos dois sentidos diante de mim, e percebi que meu carro estava completamente fora de controle e que eu não conseguia pará-lo.

"Jesus, ajuda-me", orei. Esforcei-me ao máximo para manter o controle do veículo e evitar que tombasse em uma das duas valas. Nessa tentativa, porém, acabei rodando no meio do cruzamento. Os carros desviavam de mim e procuravam também manter o controle. Um carro verde vinha bem em minha direção e até hoje não sei como não bati nele. O que sei é que orava fervorosamente naquele momento, e a mão de Deus deve ter intervindo. Foi um milagre que nada aconteceu comigo nem com nenhuma outra pessoa. Antes de sair de casa naquele dia, orei especificamente para que Deus me guardasse. Não tenho a menor dúvida de que ele respondeu àquela oração.

Nesses momentos incertos em que seu futuro está por um fio, você quer ter segurança de saber que está em contato com seu Pai celeste e que ele está cuidando de você. Nessas horas, como em meu caso, você precisa de uma resposta de oração instantânea. Contudo, a fim de estar certa de que isso acontecerá, é preciso que você ore todos os dias. Deus é um lugar de segurança para onde você pode ir, mas é melhor se você se refugiar nele diariamente, de modo que se encontre em território conhecido. A Bíblia diz: "Quem teme o SENHOR está seguro; ele é refúgio para seus filhos. O temor do SENHOR é fonte de vida; ajuda a escapar das armadilhas da morte" (Pv 14.26-27). Quando nossos olhos estão em *Deus*, ele fica de olho em *nós*.

– Minha oração a Deus –

Senhor, peço que tua mão protetora esteja sobre mim. Guarda-me de acidentes, doenças e influências do mal.

Protege-me aonde quer que eu vá. Guarda-me em aviões, carros ou qualquer outro meio de transporte. Confio em tua Palavra, que me garante que tu és minha rocha, minha fortaleza, meu escudo, minha cidadela, aquele que me livra do mal e minha força na qual eu confio.

Senhor, quero habitar em teu esconderijo e descansar em tua sombra (Sl 91.1). Mantém-me sob a cobertura de tua proteção. Ajuda-me a não sair do centro de tua vontade nem desviar do caminho que tu tens para mim. Capacita-me para que eu sempre ouça tua voz me guiando. Envia teus anjos para me guardarem em todos os meus caminhos. Que eles me sustentem para que eu nem sequer tropece (Sl 91.12). Senhor, tu és meu refúgio e minha força, "sempre pronto a nos socorrer em tempos de aflição". Portanto, não temerei "quando vierem terremotos e montes desabarem no mar" (Sl 46.1-2).

Obrigada, Senhor, pois nenhuma arma forjada contra mim prosperará (Is 54.17). Obrigada por não me deixares na mão de pessoas ímpias que tramam contra mim (Sl 37.32-33). "Protege-me, como a menina de teus olhos; esconde-me à sombra de tuas asas. Guarda-me dos perversos que me atacam, dos inimigos mortais que me cercam" (Sl 17.8-9). Protege-me dos planos das pessoas perversas. Protege-me do perigo súbito. "Tem misericórdia de mim, ó Deus, tem misericórdia! Em ti me refugio. À sombra de tuas asas me esconderei, até que passe o perigo" (Sl 57.1). Obrigada porque "em paz me deitarei e dormirei, pois somente tu, Senhor, me guardas em segurança" (Sl 4.8). Obrigada, Senhor, por tuas promessas de proteção. Aproprio-me delas no dia de hoje.

~ As promessas de Deus para mim ~

Se você se refugiar no SENHOR, *se fizer do Altíssimo seu abrigo, nenhum mal o atingirá, nenhuma praga se aproximará de sua casa.*
SALMOS 91.9-10

Naquele dia, porém, nenhuma arma voltada contra você prevalecerá.
ISAÍAS 54.17

Quando passar por águas profundas, estarei a seu lado. Quando atravessar rios, não se afogará. Quando passar pelo fogo, não se queimará; as chamas não lhe farão mal.
ISAÍAS 43.2

Ele o cobrirá com as suas penas e o abrigará sob as suas asas; a sua fidelidade é armadura e proteção. Não tenha medo dos terrores da noite, nem da flecha que voa durante o dia. Não tema a praga que se aproxima na escuridão, nem a calamidade que devasta ao meio-dia. Ainda que mil caiam ao seu lado e dez mil morram ao seu redor, você não será atingido.
SALMOS 91.4-7

Pois ele ordenará a seus anjos que o protejam aonde quer que você vá.
SALMOS 91.11

18
Senhor, dá-me sabedoria para tomar decisões corretas

Sentada na sacada da cobertura com vista para o mar que descrevi no capítulo anterior, tive uma visão singular da água lá embaixo. Podia ver claramente onde havia lugares rasos e onde o fundo do mar de repente recuava, tornando a água muito profunda. Observava como as pessoas nadavam uma boa distância e então se viam num lugar tão raso que eram obrigadas a se levantar. A água nessas partes mal chegava à altura do joelho. Era fascinante ver como os banhistas caminhavam na plataforma de areia e de repente caíam nas águas profundas.

Percebi que, se tivesse como me comunicar com eles, talvez por celular ou *walkie-talkie* à prova d'água, poderia ter lhes dito que estavam perto da beirada. No entanto, eles não tinham nenhuma forma de conexão comigo. Não podíamos nos falar. Assim, era impossível lhes dizer o que eu enxergava de meu ponto de vista.

Acho que o mesmo acontece com Deus. Ele vê tudo, porque está acima de tudo. Se nos comunicássemos com ele regularmente e disséssemos: "Senhor, guia-me para que eu não caia", ele nos conduziria para longe da beirada. Tantas vezes, porém, não nos comunicamos com Deus. Não ligamos para ele. Não buscamos sua direção. Não lhe pedimos sabedoria. Não consideramos o ponto de vista dele. E tantas vezes caímos no buraco por causa disso.

Na Bíblia, Ló, o sobrinho de Abraão, acabou sendo capturado pelo inimigo, pois escolheu viver numa terra que *ele* achou que fosse boa (Gn 13.10-11), mas ela ficava no meio de um povo perverso (Gn 13.13). Escolheu o que *ele* achou ser melhor, em vez do que era o melhor de *Deus*. Quantas vezes as pessoas não saem da cobertura de proteção divina e desviam-se do melhor que *ele* tem, tudo porque escolheram o que *elas* acharam melhor para sua vida? Não pedem a sabedoria e a direção *dele*.

Todos nós já fizemos isso uma vez ou outra, não é? E só porque andamos com o Senhor há algum tempo, isso não nos torna imunes a esse problema. Podemos pensar que conhecemos a vontade de Deus para uma situação hoje, por causa daquilo que foi a vontade dele da última vez que perguntamos. No entanto, sua orientação anterior talvez não funcione agora. Precisamos sempre pedir a Deus sabedoria e direção.

As coisas de Deus só podem ser discernidas no espírito. O homem natural, porém, não entende isso. "Mas o homem natural não aceita as verdades do Espírito de Deus. Elas lhe parecem loucura, e ele não consegue entendê-las, pois apenas quem é espiritual consegue avaliar corretamente o que diz o Espírito" (1Co 2.14). Você já observou que fica claro quando alguém sem nenhuma sabedoria faz a coisa errada ou toma uma decisão insensata? As consequências são cristalinas para você, mas *o outro* não as vê dessa forma. É sempre mais fácil enxergar a falta de sabedoria nos outros do que em nós mesmas. É justamente por isso que devemos orar diariamente por sabedoria.

A sabedoria significa percepção e entendimento claros. Significa saber como aplicar a verdade em todas as situações. É discernir o certo do errado. É ter bom juízo. É ser capaz de perceber quando você está se aproximando da beirada. É fazer a escolha certa ou tomar a decisão correta. E só Deus sabe qual é ela. "Quando vier o Espírito da verdade, ele os conduzirá a toda a verdade. Não falará por si mesmo, mas lhes dirá o que ouviu e lhes anunciará o que ainda está para acontecer" (Jo 16.13). Não fazemos a mínima ideia de quantas vezes a simples sabedoria salvou nossa vida ou nos livrou do mal ou quantas vezes ela ainda o fará no futuro. É por isso que você não pode viver sem ela e precisa pedi-la a Deus. Precisamos orar: "Senhor, dá-me sabedoria em tudo o que eu fizer. Ajuda-me a andar em sabedoria a cada dia".

Dez boas maneiras de andar em sabedoria

1. *Passe tempo com a Palavra de Deus.* "Meu filho, preste atenção às minhas palavras e guarde meus mandamentos como um tesouro. Dê ouvidos à sabedoria e concentre o coração no entendimento. [...] Então entenderá o que é o temor do Senhor e obterá o conhecimento de Deus" (Pv 2.1-2,5).

2. *Peça sabedoria.* "Se algum de vocês precisar de sabedoria, peça a nosso Deus generoso, e receberá. Ele não os repreenderá por pedirem" (Tg 1.5).

3. *Reconheça o Senhor em todas as coisas.* "Busque a vontade dele em tudo que fizer, e ele lhe mostrará o caminho que deve seguir" (Pv 3.6).

4. *Ande em reverência a Deus.* "O temor do Senhor é o princípio da sabedoria" (Pv 9.10).

5. *Dê ouvidos a pessoas sábias.* "Ouça as palavras dos sábios; dedique o coração à minha instrução" (Pv 22.17).

6. *Valorize a sabedoria acima de tudo.* "Adquira sabedoria e aprenda a ter discernimento; não se esqueça de minhas palavras nem se afaste delas. Não abandone a sabedoria, pois ela o protegerá; ame-a, e ela o guardará" (Pv 4.5-6).
7. *Ande em obediência.* "Ele reserva bom senso aos honestos e é escudo para os íntegros" (Pv 2.7).
8. *Seja humilde.* "O orgulho leva à desgraça, mas com a humildade vem a sabedoria" (Pv 11.2).
9. *Ame o seu próximo.* "É falta de bom senso desprezar o próximo; a pessoa sensata permanece calada" (Pv 11.12).
10. *Busque a sabedoria de Deus e não a do mundo.* "Foi por iniciativa de Deus que vocês estão em Cristo Jesus, que se tornou a sabedoria de Deus em nosso favor, nos declarou justos diante de Deus, nos santificou e nos libertou do pecado" (1Co 1.30). "Deus fez a sabedoria deste mundo parecer loucura. Visto que Deus, em sua sabedoria, providenciou que o mundo não o conhecesse por meio de sabedoria humana, usou a loucura de nossa pregação para salvar os que creem" (1Co 1.20-21).

Dez bons motivos para pedir sabedoria

1. *A fim de desfrutar longevidade, riqueza e honra.* "Com a mão direita, ela oferece vida longa; com a esquerda, riqueza e honra" (Pv 3.16).
2. *A fim de ter uma vida boa.* "Ela o guiará por estradas agradáveis; todos os seus caminhos levam a uma vida de paz" (Pv 3.17).
3. *A fim de usufruir vitalidade e felicidade.* "A sabedoria é árvore de vida para quem dela toma posse; felizes os que se apegam a ela com firmeza" (Pv 3.18).

4. *A fim de garantir proteção.* "Eles o manterão seguro em seu caminho, e seus pés não tropeçarão" (Pv 3.23).

5. *A fim de experimentar descanso renovador.* "Quando for dormir, não sentirá medo; quando se deitar, terá sono tranquilo" (Pv 3.24).

6. *A fim de adquirir confiança.* "Pois o SENHOR será sua segurança; não permitirá que seu pé fique preso numa armadilha" (Pv 3.26).

7. *A fim de ter segurança.* "Não abandone a sabedoria, pois ela o protegerá; ame-a, e ela o guardará. [...] Quando andar por ele, nada o deterá; quando correr, não tropeçará" (Pv 4.6,12).

8. *A fim de ser exaltada.* "Se você der valor à sabedoria, ela o engrandecerá; abrace-a, e ela o honrará" (Pv 4.8).

9. *A fim de ser protegida.* "Pois a sabedoria entrará em seu coração, e o conhecimento o encherá de alegria. As escolhas sábias o guardarão, e o entendimento o protegerá. A sabedoria o livrará das ações dos maus, daqueles cujas palavras são perversas" (Pv 2.10-12).

10. *A fim de adquirir entendimento.* "O sábio que os ouvir se tornará ainda mais sábio. Quem tem entendimento receberá orientação" (Pv 1.5).

Busque o conselho de Deus

É importante sempre buscar o conselho de Deus antes do conselho de qualquer outra pessoa. Não quero dizer que você não deva aceitar o conselho de seu médico ou advogado que não sejam cristãos. Estou dizendo que, *antes* de procurá-los, pergunte a Deus a *quem* você deve ir e então lhe peça que dê a essa pessoa sabedoria e conhecimento para transmitir a você. Peça a Deus que lhe mostre se você está recebendo conselho ou orientação de uma fonte que não é do Senhor. Peça-lhe que a afaste de qualquer conselho ímpio e guie pelo caminho dos retos e sábios.

Por curiosidade, desci até a praia e fui pela água até uma daquelas plataformas de areia que havia observado. Andei de um lado para o outro em cima dela, para ver exatamente quanto da profundidade da água era possível determinar de perto. Como eu tinha a vantagem de saber onde ficava a caída íngreme, andei confiantemente até a beirada. De repente a beirada se foi e caí no buraco, da mesma forma que tinha visto acontecer com os outros banhistas. Com meu orgulho encharcado, voltei para a praia e percebi que mesmo quando você *acha* que sabe alguma coisa, ainda assim não pode ficar muito convencida. Sempre precisaremos pedir a Deus sua sabedoria e seu conselho para *tudo*, pois ele é o único que conhece *toda* a verdade.

– Minha oração a Deus –

Senhor, peço-te que me dês tua sabedoria e entendimento em todas as coisas. Sei que a sabedoria é melhor que o ouro, e o discernimento, melhor que a prata (Pv 16.16), por isso enriquece-me de sabedoria e discernimento. Obrigada por dares "sabedoria aos sábios e conhecimento aos eruditos" (Dn 2.21). Aumenta minha sabedoria e meu conhecimento, para que eu possa ver tua verdade em todas as situações. Dá-me discernimento para cada decisão que devo tomar.

Senhor, ajuda-me a sempre buscar conselho no temor do Senhor e a nunca procurar quaisquer respostas no mundo ou em pessoas ímpias. Obrigada, Senhor, porque me darás o conselho e a instrução de que preciso, mesmo durante meu sono.

Obrigada, Senhor, porque me "mostrarás o caminho da vida" (Sl 16.11).

Tenho prazer em tua lei e tua Palavra. Ajuda-me a meditar nela dia e noite, a considerá-la, dizê-la, decorá-la e colocá-la em minha alma e meu coração. Senhor, sei que aquele que "confia no próprio entendimento é tolo", mas "quem anda com sabedoria está seguro" (Pv 28.26). Não quero confiar em meu próprio coração. Quero confiar em tua Palavra e em tua instrução para que possa andar com sabedoria e jamais fazer coisas ignorantes ou insensatas. Faze-me uma pessoa sábia.

Tu disseste em tua Palavra que reservas a verdadeira sabedoria para os retos (Pv 2.7). Ajuda-me a andar em retidão, justiça e obediência a teus mandamentos. Que eu jamais seja sábia a meus próprios olhos, mas que sempre tenha temor a ti. Mantém-me afastada do mal para que eu possa me apropriar da saúde e força prometidas em tua Palavra (Pv 3.7-8). Dá-me sabedoria, conhecimento, entendimento, direção e discernimento de que preciso para manter-me longe dos planos do mal, a fim de que eu possa andar em segurança e não tropeçar (Pv 2.10-13). Senhor, sei que em ti "estão escondidos todos os tesouros de sabedoria e conhecimento" (Cl 2.3). Ajuda-me a descobrir esses tesouros.

– As promessas de Deus para mim –

O temor do SENHOR é o princípio da sabedoria; o conhecimento do Santo resulta em discernimento. A sabedoria multiplicará seus dias e tornará sua vida mais longa.
PROVÉRBIOS 9.10-11

O justo oferece conselhos sábios e ensina o que é certo. Guarda no coração a lei de Deus, por isso seus passos são firmes.
SALMOS 37.30-31

Com sabedoria se constrói a casa, e com entendimento ela se fortalece. Pelo conhecimento seus cômodos se enchem de toda espécie de bens preciosos e desejáveis.
PROVÉRBIOS 24.3-4

Pergunte-me e eu lhe contarei coisas maravilhosas, segredos que você não sabe, a respeito do que está por vir.
JEREMIAS 33.3

Clame por inteligência e peça entendimento. Busque-os como a prata, procure-os como a tesouros escondidos. Então entenderá o que é o temor do SENHOR *e obterá o conhecimento de Deus. Pois o* SENHOR *concede sabedoria; de sua boca vêm conhecimento e entendimento.*
PROVÉRBIOS 2.3-6

19
Senhor, livra-me de toda obra do mal

Conheço Deus como meu Libertador. Ele me libertou de muitas coisas, inclusive do álcool, das drogas, do temor, da ansiedade, da depressão e do rancor, entre outras. Vi o Senhor me libertar num instante e também passei por um processo de libertação que levou anos. Algumas vezes, tive de jejuar e orar para ser liberta, algumas vezes foi preciso que outros cristãos firmes orassem por mim, e, algumas vezes, aconteceu simplesmente por estar na presença do Senhor. Não importa *como* aconteceu, o mais importante é que, de fato, *aconteceu*.

Todas nós precisamos de libertação em algum momento. Isso porque não importa quanto sejamos espirituais, ainda somos feitas de carne. E não importa quão perfeitamente vivemos, ainda temos um inimigo que está tentando erguer fortalezas do mal em nossa vida. Deus quer nos libertar de tudo o que nos prenda, segure ou separe dele.

Jesus nos ensinou a orar: "Livra-nos do mal" (Mt 6.13). Ele não teria nos instruído a fazê-lo dessa forma se não fosse necessário. No entanto, não raro deixamos de orar dessa maneira, agindo como se ele não tivesse falado nada. Tantas vezes vivemos como se não tivéssemos consciência de que Jesus pagou um preço altíssimo para que pudéssemos ser livres. Jesus "entregou sua vida por nossos pecados, a fim de nos resgatar deste mundo mau, conforme Deus, nosso Pai, havia planejado" (Gl 1.4). Ele deseja *continuar* a nos libertar no futuro.

Deus deseja ver você livre

Você às vezes tem problemas com as finanças a ponto de achar que jamais irá para a frente? Está sempre doente, com uma coisa ou outra, ou tem uma enfermidade recorrente que nunca é diagnosticada ou curada? Sente que as coisas que faz nunca são valorizadas? É desesperadamente atraída por coisas que não lhe fazem bem, como álcool, comida, drogas, relacionamentos ímpios ou jogos de azar? É atraída pela imoralidade? Acha impossível superar o ressentimento em relação a alguém por mais que se esforce? Está sempre em conflitos dentro de um relacionamento importante?

Não importa o que faça, você se sente sempre longe de Deus? Parece que suas orações nunca são ouvidas ou respondidas? Você se sente mais desanimada e triste do que sente a alegria do Senhor? Você se vê, de tempos em tempos, envolvida com o mesmo velho problema, os mesmos velhos hábitos de comportamento ou pensamento, as mesmas situações doentias? Sempre se sente mal sobre si mesma? Se você disse sim a alguma dessas perguntas, tenho boas notícias para você. Deus deseja libertá-la. Ele quer que você se lembre de que ele é o Libertador (Rm 11.26) e promete libertar os que foram atraídos para a morte (Pv 24.11).

Você percebe que qualquer uma dessas tendências ou sintomas pode ser uma arma do inimigo forjada contra você? Tantas vezes entramos nos planos do diabo para nossa vida, sem saber que não precisamos aturar essas coisas. Achamos que é só o destino ou azar, quando na verdade é o inimigo.

Mas Jesus veio para nos libertar de tudo o que nos prende. Ele veio para nos colocar acima do inimigo que quer nos destruir. Deus ouve os gemidos daqueles que são cativos (Sl 102.19-20). Se você clamar a Deus, ele a libertará. "Portanto, se o Filho os libertar, vocês serão livres de fato" (Jo 8.36). Não importa quanto seja forte aquilo com que você está lutando, o poder libertador de Deus é mais forte.

Deus quer libertar você não apenas porque a ama e tem compaixão de você, mas porque deseja que você seja capaz de adorar "sem medo, em santidade e justiça" todos os dias de sua vida (Lc 1.74-75). É claro que somos responsáveis por nos *afastarmos* do mal. A Bíblia diz: "O caminho dos justos os afasta do mal; quem segue esse caminho está seguro" (Pv 16.17). Algumas vezes, *nós* somos responsáveis pelas coisas que acontecem em nossa vida. Mas algumas vezes há planos do inimigo formados contra nós e dos quais devemos ser libertadas.

Como encontrar a liberdade

Você pode encontrar a liberdade ao orar por si mesma (Sl 72.12), ao pedir que outra pessoa cristã e firme na fé ore com você sobre isso (Sl 34.17), ao ler a verdade da Palavra de Deus com grande entendimento e clareza (Jo 8.32), ou ao passar tempo na presença do Senhor. A maneira mais eficaz e poderosa de passar tempo na presença do Senhor é em louvor e adoração. Toda vez que você adora a Deus, algo acontece no reino espiritual que rompe o poder do mal. Isso porque ele habita em nossos louvores, o que significa que você está na presença dele. "Pois o Senhor é o Espírito, e onde está o Espírito do Senhor, ali há liberdade" (2Co 3.17).

A Bíblia diz: "O anjo do SENHOR é guardião; ele cerca e defende os que o temem" (Sl 34.7). Sempre que o inimigo tentar lhe dizer que você jamais se libertará, abafe a voz dele com louvor. Agradeça a Deus, pois ele é o Libertador e porque você está sendo libertada enquanto o louva. E, uma vez liberta, conte a outras pessoas o que aconteceu. "O SENHOR os resgatou? Proclamem em alta voz! Contem a todos que ele os resgatou de seus inimigos" (Sl 107.2).

Se você parece estar sempre caindo de volta na mesma coisa da qual já foi libertada, nem perca seu tempo ficando desanimada. Muitas vezes aquilo que parece ser a mesma coisa voltando pode ser uma nova camada vindo à tona e que precisa ser removida. Você não está retrocedendo — está se aprofundando. Essas camadas profundas de escravidão podem doer muito mais do que as anteriores. Confie que seus dias estão nas mãos de Deus e que ele a livrará a seu tempo (Sl 31.14-15).

Lembre-se de que a libertação vem do Senhor, e é um processo contínuo. É Deus quem "nos livrou do perigo mortal, e nos livrará outra vez. Nele depositamos nossa esperança, e ele continuará a nos livrar" (2Co 1.10). Deus faz uma obra completa e ele a levará até o fim. Assim, não desista porque está levando mais tempo do que você esperava. Esteja segura de que "aquele que começou a boa obra em vocês irá completá-la até o dia em que Cristo Jesus voltar" (Fp 1.6).

Ele não descansará "até sua justiça brilhar como o amanhecer e sua salvação resplandecer como uma tocha acesa" (Is 62.1). *O livramento não transformará você em outra pessoa. Ele a libertará para ser quem você realmente é: uma mulher de Deus inteligente, segura, amorosa, talentosa, bondosa, perspicaz, atraente e maravilhosa.*

– Minha oração a Deus –

Senhor, obrigada por prometeres que me livrarás de toda obra maligna e me levarás a salvo para o teu reino celestial (2Tm 4.18). Sei que "não lutamos contra inimigos de carne e sangue, mas contra governantes e autoridades do mundo invisível, contra grandes poderes neste mundo de trevas e contra espíritos malignos nas esferas celestiais" (Ef 6.12). Obrigada por colocares todos esses inimigos debaixo de teus pés (Ef 1.22) e pelo fato de que "tudo que está encoberto será revelado, e tudo que é secreto será divulgado" (Mt 10.26).

Senhor, sei que não posso ver todas as formas de o inimigo erguer fortalezas em minha vida. Dependo de ti para revelá-las a mim. Obrigada por vires "anunciar que os cativos serão soltos, os cegos verão, os oprimidos serão libertos" (Lc 4.18). Sem ti sou cativa de meus desejos, cega para a verdade e oprimida. Mas contigo vem a libertação de tudo isso. "Meu futuro está em tuas mãos; livra-me dos que me perseguem sem cessar" (Sl 31.15).

Sei que minha libertação vem de ti. Obrigada por me tirares "de águas profundas" e me livrares "de inimigos poderosos" (Sl 18.16-17). Ajuda-me a ficar firme na liberdade pela qual Cristo me libertou e ajuda-me a não me submeter de novo a qualquer jugo de escravidão (Gl 5.1).

Clamo a ti, Senhor, e peço que me libertes de qualquer coisa que me escraviza ou me separa de ti. Peço especificamente para ser libertada de (*mencione uma área na qual você deseja ser libertada*). Onde abri a porta para o inimigo com meus próprios desejos, arrependo-me de tê-lo feito. Mostra--me onde estou andando em desobediência para que eu possa mudar o rumo e viver em obediência a teus caminhos. Dá-me sabedoria para andar no caminho certo e forças para superar as coisas que me arrastam para baixo (Pv 28.26).

Sei que, mesmo que eu ande na carne, não milito segundo a carne, pois "não lutamos conforme os padrões humanos. Usamos as armas poderosas de Deus, e não as armas do mundo, para derrubar as fortalezas" (2Co 10.3-4). Em nome de Jesus, peço que todas as fortalezas erguidas ao meu redor pelo inimigo sejam completamente destruídas. Transforma as trevas em luz diante de mim e endireita os caminhos tortuosos (Is 42.16). Sei que aquele que começou boa obra em mim a completará (Fp 1.6). Dá-me paciência para que eu não desista e força para manter-me firme em tua Palavra.

– As promessas de Deus para mim –

O Senhor ouve os justos quando clamam por socorro; ele os livra de todas as suas angústias.
Salmos 34.17

Então clamem a mim em tempos de aflição; eu os livrarei, e vocês me darão glória.
Salmos 50.15

Eu lhe darei as chaves do reino dos céus. O que você ligar na terra terá sido ligado no céu, e o que você desligar na terra terá sido desligado no céu.
Mateus 16.19

Quem confia no próprio entendimento é tolo; quem anda com sabedoria está seguro.
Provérbios 28.26

Livrarei aquele que me ama, protegerei o que confia em meu nome.
Salmos 91.14

20
Senhor, liberta-me das emoções negativas

Eu costumava pensar que ansiedade, depressão, medo e desespero eram um modo de vida. "*É assim que sou*", pensava. No entanto, quando conheci o Senhor e comecei a viver do jeito de Deus, fui vendo que *todas* as coisas são possíveis a qualquer um que creia em Deus e seja obediente a ele. É até possível viver sem emoções negativas. Se pedirmos a Deus, ele as tirará de cima de nós como se fossem um cobertor grosso e molhado. Contudo é preciso orar.

Você já sentiu como se Deus a tivesse abandonado? Bem, se já se sentiu assim, você não está sozinha. Na verdade, está em boa companhia. Não apenas há milhões de pessoas se sentindo desse jeito agora, como Jesus também se sentiu assim em certa ocasião. No ponto mais baixo de sua vida, Jesus disse: "Meu Deus, meu Deus, por que me abandonaste?" (Mt 27.46). *Todas nós passamos por tempos difíceis, tempos em que nos sentimos completamente sozinhas e abandonadas. Mas na verdade não estamos sozinhas. Deus está conosco e nos ajuda quando clamamos a ele.* Em meio a esses tempos, não precisamos ser controladas por nossas emoções negativas. Podemos resistir-lhes orando e conhecendo a verdade sobre elas, que se encontra na Palavra de Deus.

Sete boas maneiras de livrar-se das emoções negativas

1. *Recuse-se a ficar ansiosa.* Não importa quais sejam os problemas que temos em nossa vida, Jesus já os venceu. "Aqui no mundo vocês terão aflições, mas animem-se, pois eu venci o mundo" (Jo 16.33). Podemos ser libertadas da ansiedade simplesmente passando tempo com Deus. "Quando minha mente estava cheia de dúvidas, teu consolo me deu esperança e ânimo" (Sl 94.19).

Quando você está ansiosa, significa que não está confiando que Deus cuidará de você. Contudo, Deus provará a fidelidade dele se você correr para ele. "Não se inquietem com o que comer e o que beber. Não se preocupem com essas coisas. Elas ocupam os pensamentos dos pagãos de todo o mundo, mas seu Pai já sabe do que vocês precisam. Busquem, acima de tudo, o reino de Deus, e todas essas coisas lhes serão dadas" (Lc 12.29-31). Deus diz que não precisamos ficar ansiosas sobre *qualquer coisa*; só precisamos orar sobre *todas as coisas*.

2. *Recuse-se a ser dominada pela ira.* Quando damos lugar à ira com frequência, cortamos tudo o que Deus tem para nós, da mesma forma que uma dobra na mangueira corta o fluxo da água. Vi isso acontecer inúmeras vezes com as pessoas. Justamente quando Deus estava operando na vida delas de maneira poderosa, elas se renderam à ira e o deixaram completamente de fora. Quando acolhemos ira em nossa alma, abrimos a porta para o pecado e o diabo. "E não pequem ao permitir que a ira os controle. Acalmem a ira antes que o sol se ponha, pois ela cria oportunidades para o diabo" (Ef 4.26-27).

Uma pessoa irada deixa todos ao seu redor perturbados, levando-os, em decorrência disso, a cometer graves erros. "A pessoa irada provoca conflitos; quem perde a calma facilmente comete muitos pecados" (Pv 29.22). Quantos homens irados não abusam da esposa ou chegam a matá-la, e acabam destruindo a própria vida para sempre? Quantas mulheres iradas não levam os relacionamentos e a família à ruína e sacrificam o destino que Deus tem para elas? Só as pessoas insensatas apressam-se em irar-se. As pessoas com sabedoria não querem pagar o preço. "Não se ire facilmente, pois a raiva é a marca dos tolos" (Ec 7.9). Peça a Deus que a mantenha livre da ira, a fim de que você possa continuar no fluxo de tudo o que ele tem para você.

3. *Recuse-se a ficar insatisfeita.* É fácil concentrar-se nas coisas negativas e ver tudo o que há de errado com sua vida. No entanto, quando estamos sempre inquietas por não encontrarmos paz, isso não torna apenas *a nós* infelizes, mas também a todos ao nosso redor. Não há nada de errado em desejar que as coisas sejam diferentes quando, de fato, elas precisam mudar, mas quando essa atitude torna-se um estilo de vida, sacrificamos nossa paz. Sempre que você se sentir desanimada com as circunstâncias em que se encontra, lembre-se do que disse o apóstolo Paulo: "Aprendi a ficar satisfeito com o que tenho. Sei viver na necessidade e também na fartura. Aprendi o segredo de viver em qualquer situação, de estômago cheio ou vazio, com pouco ou muito. Posso todas as coisas por meio de Cristo, que me dá forças" (Fp 4.11-13).

Deus lhe promete descanso. "Logo, ainda há um descanso definitivo à espera do povo de Deus" (Hb 4.9). É possível encontrar contentamento, descanso, paz e alegria em qualquer situação. Diga a Deus que você está fazendo disso seu alvo e que precisa da ajuda dele.

4. *Recuse-se a ficar com inveja.* Quando você olha para outra pessoa e para o que *ela* tem em vez de olhar para o

Senhor e o que *ele* tem, um espírito de cobiça está prestes a tornar sua vida infeliz. "Pois onde há inveja e ambição egoísta, também há confusão e males de todo tipo. Mas a sabedoria que vem do alto é, antes de tudo, pura. Também é pacífica, sempre amável e disposta a ceder a outros. É cheia de misericórdia e é o fruto de boas obras. Não mostra favoritismo e é sempre sincera" (Tg 3.16-17). Não se permita alimentar pensamentos como: "Se ao menos eu tivesse o cabelo como o *dela*... o rosto como o *dela*... o corpo como o *dela*... roupas como as *dela*... o talento *dela*... o marido *dela*... os filhos *dela*... o dinheiro *dela*... a sorte *dela*... as bênçãos *dela*...". Em vez disso, volte-se para Jesus. Pense na beleza *dele*, na riqueza *dele*, nos talentos *dele*, na natureza *dele*, na provisão *dele*, na ajuda *dele* e no poder *dele*. Agradeça-lhe a rica herança que você tem nele e diga-lhe que mal pode esperar para experimentá-la toda.

A cobiça começou quando Caim quis aquilo que Abel tinha e o matou por isso. No entanto, como resultado, ele sofreu o resto da vida. "Têm ciúme uns dos outros, discutem e brigam entre si. Acaso isso não mostra que são controlados por sua natureza humana e que vivem como pessoas do mundo?" (1Co 3.3). Não queremos sofrer para o resto da vida por causa da cobiça. O preço que pagamos pela inveja é alto demais. "O contentamento dá saúde ao corpo; a inveja é como câncer nos ossos" (Pv 14.30). Ore para que o amor de Deus seja manifestado em você e por seu intermédio a todo tempo. "O amor é paciente e bondoso. O amor não é ciumento, nem presunçoso" (1Co 13.4).

5. *Recuse-se a ficar deprimida.* De todas as emoções negativas, creio que a depressão é uma das que aceitamos mais prontamente como parte de nossa vida. Tantas de nós convivem

com a depressão e aceitam-na sem nem mesmo se dar conta. Ela nos parece natural por ser muito conhecida. Deus, porém, não deseja que aceitemos a depressão como um modo de vida.

Muitas pessoas na Bíblia experimentaram depressão. "Estou exausto de tanto gemer; à noite inundo a cama de tanto chorar, e de lágrimas a encharco. A tristeza me embaça a vista; meus olhos estão cansados por causa de todos os meus inimigos" (Sl 6.6-7). "Os insultos deles me partiram o coração; estou desesperado! Se ao menos alguém tivesse piedade de mim; quem dera viessem me consolar" (Sl 69.20). "Minha alma chora de tristeza; fortalece-me com tua palavra" (Sl 119.28). Alguma dessas coisas não lhe é estranha? A boa notícia é que Deus não deseja que vivamos com esses sentimentos. Ele deseja que tenhamos a alegria do Senhor em nós e quer espantar os espíritos de angústia. "Afastem-se de mim, todos vocês que praticam o mal, pois o SENHOR ouviu meu pranto. O SENHOR ouviu minha súplica; o SENHOR responderá à minha oração" (Sl 6.8-9). Deus quer que clamemos por ele, para que ele possa nos tirar da depressão.

6. *Recuse-se a ficar amargurada.* A amargura nos corrói o corpo e a alma como o ácido corrói a pele. Quando a raiz de amargura domina sua vida, ela lhe consome e interrompe as bênçãos de Deus. "Pois vejo que você está cheio de amarga inveja e é prisioneiro do pecado" (At 8.23). Quando temos constantemente pensamentos como: "Até quando terei de lutar com a angústia em minha alma, com a tristeza em meu coração a cada dia?" (Sl 13.2), então a amargura está crescendo dentro de nós como um câncer. Contudo, podemos identificar esses pensamentos e nos recusar a dar lugar a eles. Podemos pedir a Deus que nos ajude a resistir. "Cuidem uns dos outros para que nenhum de vocês deixe de experimentar

a graça de Deus. Fiquem atentos para que não brote nenhuma raiz venenosa de amargura que cause perturbação, contaminando muitos" (Hb 12.15).

Peça a Deus que a liberte de qualquer amargura. Peça que lhe dê um espírito de gratidão, louvor e adoração. Peça ao Espírito Santo que expulse qualquer coisa em seu coração que não seja dele.

7. *Recuse-se a ficar desesperada*. O desespero causa uma morte lenta que acabará afetando a saúde de seu corpo e alma. Contudo, quando você escolhe conscientemente colocar sua esperança no Senhor, ele suprirá todas as suas necessidades e removerá todo o desespero. Assim como podemos escolher que atitude teremos a cada dia, podemos escolher colocar nossa esperança em Deus. Podemos guardar nossa alma. "O perverso anda por um caminho cheio de espinhos e perigos; quem dá valor à vida se afasta dele" (Pv 22.5). O desespero é morte para nossa alma. Recuse-se a viver com ele. Não importa quão ruins as coisas pareçam ficar em sua vida, no Senhor você *sempre* tem esperança. Peça a Deus que lhe dê esperança para seu futuro e uma atitude de gratidão a cada dia de sua vida.

As emoções negativas revelam dúvida. Se confiamos plenamente em Deus, então que motivo temos para ficar ansiosas? Por que ficar iradas, insatisfeitas, com inveja, deprimidas, amarguradas ou desesperadas? No entanto, somos todas susceptíveis de experimentar esse tipo de emoção negativa em algum momento de nossa vida. Assim, não se sinta mal sobre tê-las, mas não deixe as coisas por isso mesmo. Recuse-se a permitir que a feiura das emoções negativas estrague a beleza da vida que Deus tem para você.

– Minha oração a Deus –

Senhor, ajuda-me a viver em tua alegria e paz. Dá-me forças e entendimento para resistir à ansiedade, à ira, à inquietação, à inveja, à depressão, à amargura, ao desespero, à solidão, ao medo e à culpa. Salva-me quando estou sem ânimo algum e me vejo tomada de medo (Sl 143.4). Recuso-me a deixar que minha vida seja arrasada por emoções negativas como essas. Sei que tens para mim uma qualidade de vida melhor. Mostra-me tua verdade quando sou tentada a me entregar a elas.

Tu disseste em tua Palavra que é em nossa perseverança que ganharemos nossa alma (Lc 21.19). Dá-me perseverança para que eu possa fazer isso. Ajuda-me a guardar meu coração, pois sei que ele dirige o rumo de minha vida (Pv 4.23). Ajuda-me a não ser tão insegura e voltar toda a atenção para mim mesma a ponto de perder oportunidades de concentrar-me em ti e estender teu amor aos outros. Que eu seja sensível às necessidades, provações e fraquezas de outras pessoas e não seja hipersensível quanto a mim mesma. Aquilo que tu realizaste na cruz é minha fonte de maior alegria. Preciso de tua ajuda para concentrar-me nisso.

"Meu inimigo me perseguiu; derrubou-me no chão e obrigou-me a morar em trevas, como as do túmulo. Vou perdendo todo o ânimo; estou tomado de medo. [...] Faze-me ouvir do teu amor a cada manhã, pois confio em ti. Mostra-me por onde devo andar, pois me entrego a ti" (Sl 143.3-4,8). Obrigada, Senhor, porque nas dificuldades posso clamar a ti. E quando clamo a ti, Senhor, tu ouves minha voz e me respondes (Sl 18.6). Que a alegria de te conhecer encha meu coração de felicidade e paz.

– As promessas de Deus para mim –

Não vivam preocupados com coisa alguma; em vez disso, orem a Deus pedindo aquilo de que precisam e agradecendo-lhe por tudo que ele já fez. Então vocês experimentarão a paz de Deus, que excede todo entendimento e que guardará seu coração e sua mente em Cristo Jesus.
FILIPENSES 4.6-7

Em sua aflição, clamaram ao SENHOR, e ele os livrou de seus sofrimentos. Tirou-os da escuridão e das trevas profundas e quebrou suas algemas.
SALMOS 107.13-14

Venham a mim todos vocês que estão cansados e sobrecarregados, e eu lhes darei descanso. Tomem sobre vocês o meu jugo. Deixem que eu lhes ensine, pois sou manso e humilde de coração, e encontrarão descanso para a alma. Meu jugo é fácil de carregar, e o fardo que lhes dou é leve.
MATEUS 11.28-30

O SENHOR ouve os justos quando clamam por socorro; ele os livra de todas as suas angústias. O SENHOR está perto dos que têm o coração quebrantado e resgata os de espírito oprimido.
SALMOS 34.17-18

Os que confiam no SENHOR renovam suas forças; voam alto, como águias. Correm e não se cansam, caminham e não desfalecem.
ISAÍAS 40.31

21
Senhor, consola-me em tempos difíceis

Toda vez que decolo em um avião num dia cinzento, sombrio e chuvoso, sempre me admira como conseguimos voar pelas nuvens escuras e cheias de chuva, tão espessas que não podemos ver nada pela janela, e então, de repente, nos elevamos acima de tudo e somos capazes de enxergar quilômetros ao redor. Lá em cima o céu está ensolarado, límpido e azul. Vivo me esquecendo de que não importa quanto o tempo esteja ruim, é possível elevar-se acima da tempestade até um lugar onde tudo está bem.

Nossa vida espiritual e emocional é muito parecida com isso. *Quando as nuvens escuras das tribulações, lutas, tristezas e sofrimentos se aproximam e, então, se colocam sobre nós, tão espessas que mal podemos ver o que está à frente, é fácil esquecer que há um lugar de calma, luz, clareza e paz para onde podemos nos elevar. Se segurarmos a mão de Deus durante esses tempos difíceis, ele nos elevará acima das condições em que estamos até o lugar de consolo, calor e segurança que tem para nós.*

Um de meus nomes prediletos para o Espírito Santo é Consolador (Jo 14.26). Assim como não temos de implorar ao sol por sua luz, também não temos de implorar ao Espírito Santo pelo consolo, pois ele *é* consolo. Precisamos simplesmente nos desligar de qualquer coisa que nos separe dele. Precisamos orar para que, quando passarmos por tempos difíceis, o Espírito Santo nos dê uma percepção mais intensa de seu consolo nesses momentos.

Mais cedo ou mais tarde, todos passam por tempos difíceis. A dor e a perda são parte da vida. Há tantas razões diferentes pelas quais essas coisas acontecem, mas quando nós o convidamos Deus está sempre presente para fazer com que o bem resulte delas. Se entendermos as diferentes possibilidades do sofrimento, isso nos ajudará a superar a dor e a ver nossa fé crescer em meio a ele.

Quatro bons motivos para tempos difíceis

1. *Às vezes coisas difíceis acontecem conosco para que a glória e o poder de Deus sejam revelados por nosso intermédio.* Quando Jesus passou por um homem que era cego de nascença, seus discípulos perguntaram ao Mestre se a cegueira do homem era resultado de algum pecado dele ou de seus pais. Jesus respondeu: "Nem uma coisa nem outra. Isso aconteceu para que o poder de Deus se manifestasse nele" (Jo 9.3). Talvez não sejamos capazes de entender por que certas coisas estão acontecendo conosco naquele momento e talvez nunca fiquemos sabendo por que tivemos de passar por elas até que estejamos com o Senhor, mas, quando nos voltamos para Deus em meio às situações difíceis, a glória de Deus será vista nelas e em você.

2. *Deus usa os tempos difíceis para nos purificar.* A Bíblia diz: "Portanto, uma vez que Cristo sofreu fisicamente, armem-se com a mesma atitude que ele teve e estejam prontos para também sofrer. Porque, se vocês sofrerem fisicamente por Cristo, deixaram o pecado para trás" (1Pe 4.1). Isso significa que nosso sofrimento durante os tempos difíceis queimará o pecado e o egoísmo dentro de nós. Deus permite que o sofrimento

aconteça para que aprendamos a viver para ele e não para nós mesmas, para que busquemos a vontade dele e não a nossa. Não é agradável o momento em que sofremos, mas o desejo de Deus é que sejamos participantes "de sua santidade" (Hb 12.10). Ele quer que nos desapeguemos das coisas que desejamos e que nos apeguemos ao que é mais importante na vida — ele.

3. *Às vezes a infelicidade é causada pela disciplina de Deus em nossa vida.* "Nenhuma disciplina é agradável no momento em que é aplicada; ao contrário, é dolorosa. Mais tarde, porém, produz uma colheita de vida justa e de paz para os que assim são corrigidos" (Hb 12.11). O fruto produzido em nós por essa disciplina e poda divinas faz valer a pena a dificuldade pela qual temos de passar a fim de consegui-lo, mas devemos ter cuidado para não resistir à dificuldade nem odiá-la. "Meu filho, não despreze a disciplina do Senhor; não desanime quando ele o corrigir. Pois o Senhor disciplina quem ele ama e castiga todo aquele que aceita como filho" (Hb 12.5-6).

4. *Às vezes somos pegas no meio da obra do inimigo.* O grande prazer do inimigo é fazer você infeliz e tentar destruir sua vida. Com frequência, a razão da angústia, melancolia, pesar, tristeza profunda ou dor que você sente é inteiramente obra do inimigo e não culpa sua ou de outra pessoa. Seu consolo encontra-se em saber que, ao louvar ao Senhor em meio a isso, ele derrotará o inimigo e fará com que o bem resulte de coisas que você nem poderia imaginar. Deus deseja que você ande com ele pela fé enquanto ele a guia pela aflição, e a ensinará a confiar nele em meio às dificuldades.

Nenhuma de nós quer ouvir como a dor e o sofrimento são bons para nós. Quando estamos no meio da dificuldade, tragédia, perda, desolação ou decepção, sentimos uma dor terrível e nos parece impossível pensar além dela. No entanto, o Espírito Santo está presente para nos ajudar. Em algumas traduções da Bíblia, ele é chamado de Encorajador. Jesus disse: "E eu pedirei ao Pai, e ele lhes dará outro Encorajador, que nunca os deixará. É o Espírito da verdade" (Jo 14.16-17). Quando nos voltarmos para o Espírito Santo em busca de ajuda e encorajamento, ele não apenas nos socorrerá como também nos dará uma porção mais rica de sua presença, que jamais experimentamos. Seremos bem-aventuradas quando chorarmos, porque o Encorajador nos encorajará (Mt 5.4).

Quando minha amiga morreu de câncer no seio há vários anos, fiquei arrasada de tristeza. Éramos melhores amigas desde o ensino médio e não sabia como poderia sobreviver à perda. O dia depois do enterro foi o de maior dor. Comecei a me dar conta da realidade e não conseguia parar de chorar. Além disso, junto com meus dois filhos de 6 e 10 anos de idade, eu tinha agora o filho de 8 anos de minha amiga para cuidar. Pedi a Deus que me elevasse acima de minha tristeza a fim de que eu pudesse tornar-me útil o suficiente para ajudá-lo a lidar com a perda. Deus respondeu àquela oração a cada dia que me voltei para ele em busca de forças e consolo.

Toda vez que você se elevar acima da dor em sua vida e encontrar a bondade, clareza, paz e luz do Senhor, sua fé aumentará. Deus estará com você em meio à dor não apenas para aperfeiçoá-la, mas também para tornar maior sua compaixão pelo sofrimento de outros. Ao continuar vivendo na presença do Senhor, a glória dele se revelará em você.

~ Minha oração a Deus ~

Senhor, ajuda-me a lembrar que, não importa quão escura a situação possa tornar-se, para minha vida tu és a luz que jamais pode ser apagada. Não importa quão escuras estejam as nuvens sobre minha vida, tu me elevarás acima da tempestade até o consolo de tua presença. Só tu podes tomar qualquer que seja minha perda e encher o vazio com o bem. Só tu podes tomar o fardo de minha tristeza e dor e enxugar minhas lágrimas. "Responde-me quando clamo a ti, ó Deus que me faz justiça. Livra-me de minha angústia; tem compaixão de mim e ouve minha oração" (Sl 4.1).

Em tempos de tristeza, sofrimento ou provação, peço-te uma percepção mais intensa de tua presença. Quero tornar-me mais forte nesses tempos e não mais fraca. Quero crescer na fé e não ser tomada de dúvidas. Quero ter esperança no meio de tudo e não me entregar ao desespero. Quero ficar firme em tua verdade e não ser levada pelas emoções.

Obrigada porque não preciso temer más notícias, pois meu coração está firme e confiante em ti (Sl 112.7). Obrigada porque livraste "minha alma da morte, meus olhos, das lágrimas, meus pés, da queda" (Sl 116.8). Obrigada porque caminho diante de ti com esperança em meu coração e vida em meu corpo. Obrigada porque "não morrerei; pelo contrário, viverei para contar o que o SENHOR fez" (Sl 118.17). Mesmo quando "minha alma chora de tristeza", peço-te: "fortalece-me com tua palavra" (Sl 119.28).

Ajuda-me a não me esquecer de dar graças a ti em todas as coisas, sabendo que tu reinas em meio a elas. Faze-me lembrar que tu me redimiste e sou tua, e que nada é mais importante do que isso. Sei que, quando passar pelas águas, tu estarás comigo, e os rios não me submergirão. Quando eu passar pelo fogo, não me queimarei, nem a chama arderá em mim (Is 43.1-2). Isso porque tu és bom e enviaste o Espírito Santo para consolar-me e socorrer-me. Peço-te, ó Deus da esperança, enche-me de toda a alegria, paz e fé para que eu possa transbordar "de esperança, pelo poder do Espírito Santo" (Rm 15.13). Obrigada porque tu enviaste o Espírito Santo para ser meu Consolador e Encorajador. Faze-me lembrar disso em meio aos tempos difíceis.

— As promessas de Deus para mim —

Amados, não se surpreendam com as provações de fogo ardente pelas quais estão passando, como se algo estranho lhes estivesse acontecendo. Pelo contrário, alegrem-se muito, pois essas provações os tornam participantes dos sofrimentos de Cristo, a fim de que tenham a maravilhosa alegria de ver sua glória quando ela for revelada.
1PEDRO 4.12-13

Deus, em toda a sua graça, os chamou para participarem de sua glória eterna por meio de Cristo Jesus. Assim, depois que tiverem sofrido por um pouco de tempo, ele os restaurará, os sustentará e os fortalecerá, e os colocará sobre um firme alicerce.
1PEDRO 5.10

Espere pelo SENHOR e seja valente e corajoso; sim, espere pelo SENHOR.
SALMOS 27.14

Felizes os pobres de espírito, pois o reino dos céus lhes pertence. Felizes os que choram, pois serão consolados.
MATEUS 5.3-4

O SENHOR o guarda em tudo que você faz, agora e para sempre.
SALMOS 121.8

22
Senhor, capacita-me para que eu possa resistir à tentação do pecado

Por que um rapaz que tenha tudo a seu favor arriscaria perder tudo? Sei de um homem que era bem-apessoado, tinha talento para música, coragem, riqueza, proeminência, autoridade, uma esposa e o favor de Deus. Além disso, ele derrotara sozinho uma das piores ameaças inimigas às forças armadas de sua nação. Ainda assim, caiu em tentação e sucumbiu a ela pecado após pecado.

O rei Davi obviamente encontrava-se desocupado e não estava onde deveria. Encontrava-se na cobertura de seu palácio olhando a vizinha tomar banho, em vez de ter ido à guerra com seus homens como faziam os outros reis. Seu maior erro não foi ter sido tentado, pois isso pode acontecer com qualquer um, mas sim o fato de não ter dado as costas à tentação e corrido imediatamente para Deus em arrependimento. Ele ficou e olhou. Pensou e planejou. Deixou que seu desejo o dominasse e não seu Deus. Como resultado, tornou-se um assassino e um adúltero e acabou pagando por isso pelo resto da vida — até mesmo a ponto de testemunhar a morte do próprio filho.

Jesus também foi tentado. Contudo, ao contrário de Davi, ele fez a coisa certa. Davi deixou-se levar pelo desejo de sua carne, mas Jesus não. Jesus manteve-se firme na Palavra de Deus, mas Davi se esqueceu dela.

Já vivi tempo o suficiente, e estou certa de que você também, para ver pessoas demais — tanto homens quanto mulheres — sacrificarem a vida ao entregar-se à tentação. Há muitos tipos de tentação, assim como há muitos tipos de pecado. Aquela que parece fazer as pessoas tropeçar com mais frequência é a tentação sexual. Vi pessoas cheias de talento sucumbir à tentação sexual e abrir mão de uma vida promissora que Deus tinha para elas. Caíram como meteoros e queimaram-se quando poderiam ser agora estrelas brilhantes. Mesmo que tenham sido redimidas e restauradas, nunca vi as pessoas recobrarem a unção e a glória de Deus que havia estado sobre elas em outros tempos.

Quando as pessoas caem em adultério, a vida que *poderiam* ter vivido é sacrificada para sempre. É claro que quando elas se arrependem podem receber o perdão e ser restauradas, mas perderam o que *teriam* sido se esse pecado nunca tivesse acontecido. Davi foi perdoado e restaurado, mas perdeu aquilo que mais amava — seu filho — e seu reino foi marcado daquele ponto em diante por uma tragédia depois da outra, incluindo a destruição de muitos membros amados de sua família. Deus continuava a amá-lo, mas seu pecado ainda teve consequências. As pessoas não se dão conta de quanto perdem quando se entregam à tentação sexual. Sua luz jamais volta a brilhar com a mesma intensidade que teria se elas nunca houvessem se entregado ao desejo da carne.

Pela quantidade de cartas que recebo, sei que a atração imprópria por uma pessoa do sexo oposto é a maior tentação para muitos homens e muitas mulheres. Muitas vezes não é concretizada, mas ainda assim é nutrida em pensamentos.

E os pecados da mente também têm consequências sérias. O pecado sexual começa com pensamentos como: "Esta é a pessoa de meus sonhos, não importa que ela seja casada e eu também", "Isso não pode ser errado, senão eu não estaria me sentindo tão bem", "Eu mereço ter aquilo que quero", "Ninguém vai ficar sabendo", "Deve ser coisa do destino".

Não deixe que o diabo lhe tome tudo o que Deus tem para você ao tentá-la com pensamentos impuros. Não há nada de errado em apreciar os talentos, a devoção, a inteligência ou a aparência de um homem, mas, a menos que você seja casada com ele, lembre-se de que ele é seu irmão no Senhor. Se você alguma vez se pegar com qualquer tipo de atração impura, confesse-a imediatamente diante de Deus e peça que ele a liberte disso. Então, diga a Satanás que você reconhece o plano dele para destruí-la e separá-la do que Deus tem para você e que você não permitirá que ele o faça. Se for preciso, jejue e ore para destruir essa fortaleza. Não dê trégua até que a tentação a tenha deixado. "Vigiem e orem para que não cedam à tentação, pois o espírito está disposto, mas a carne é fraca" (Mt 26.41). Quanto mais lhe foi dado, mais você será abordada pelo inimigo que tentará tomar isso de você. Esteja preparada para ele com o pleno conhecimento da Palavra de Deus.

Seis boas coisas para se lembrar sobre a tentação

1. *Quem*. Qualquer um pode ser tentado. Você pode cair em tentação, não importa quanto pense que é espiritual e firme. Aqueles que eu vi cair mais tragicamente eram os que se orgulhavam de ser bons cristãos. Contavam vantagem de sua força espiritual e temor ao Senhor e, ainda assim, tiveram

uma queda trágica e sem arrependimento. Não podemos deixar que o orgulho espiritual seja nossa queda.

2. *O quê.* Você pode ser tentada por qualquer coisa. A tentação mais comum é a sexual, pois a oportunidade para ela está em toda parte. No entanto, há outros tipos de cobiça também. O dinheiro é tentador. O poder é tentador. O desejo é tentador. "A tentação vem de nossos próprios desejos, que nos seduzem e nos arrastam. Esses desejos dão à luz o pecado, e quando o pecado se desenvolve plenamente, gera a morte. Não se deixem enganar, meus amados irmãos" (Tg 1.14-16). O inimigo a tentará na área em que você for mais suscetível. Seja o que for que sua carne deseje, peça a Deus que lhe dê forças para resistir. Guarde suas áreas de vulnerabilidade com orações.

3. *Quando.* A tentação pode acontecer a qualquer hora e, com frequência, quando você menos espera e está mais suscetível. Quando de fato ela ocorre, o perigo encontra-se em pensar que você pode lidar com ela sozinha. O melhor é levá-la a Deus e confessá-la imediatamente, e encontrar alguém de confiança para orar com você sobre isso. Não deixe simplesmente passar. O risco é grande demais. Não importa quando acontece, trate-a como uma séria ameaça.

4. *Onde.* A tentação pode acontecer em qualquer lugar. Na igreja, no trabalho, em casa, no ônibus ou no avião. Ela aparecerá no lugar que você menos espera. Seja onde for, afaste-se desse lugar imediatamente. Se você é tentada por chocolate, não fique andando pela doceria. O cheiro vai enlouquecê-la e enfraquecer sua resistência. Se certo homem a tenta, não fique perto dele. Ou, se precisa ficar perto dele, não fique sozinha com ele. Afaste-se da tentação e peça a Deus que acabe com o desejo dentro de você.

5. *Por quê.* A razão pela qual você é tentada pelo inimigo é que ele sabe das grandes coisas que Deus quer fazer em sua vida. Ele acha que você é bastante tola para abrir mão de todas elas em troca de alguns momentos de prazer. Ele sabe que não apenas *você* sairá perdendo com a tentação, como também outras pessoas serão feridas por seu pecado. Assim, ele tem a possibilidade de múltiplas vitórias. Quando você vir a armadilha dele, diga-lhe que não permitirá que ele destrua sua vida ou a de qualquer outra pessoa.

6. *Como.* Você precisa lembrar-se de que não importa como está sendo tentada, trata-se de uma armação do inimigo com a intenção de arrasá-la. Ele encontrará sua fraqueza, necessidade ou insegurança e tentará você com aquilo que for mais atraente para você. Essa é a melhor razão para se livrar de todas as inseguranças e tornar-se uma pessoa plena. Isso elimina uma das formas de o inimigo ter acesso a nossa vida.

O melhor momento para orar sobre a tentação é *antes* de você cair nela. Depois que a isca é mostrada, torna-se muito mais difícil resistir. Aliás, a oração que Jesus nos ensinou é um bom começo: "E não nos deixes cair em tentação, mas livra-nos do mal" (Mt 6.13). Também podemos fazer como Jesus, repreendendo o inimigo com a Palavra de Deus. Podemos seguir o conselho do apóstolo Paulo: "Portanto, permaneçam firmes nessa liberdade, pois Cristo verdadeiramente nos libertou. Não se submetam novamente à escravidão da lei" (Gl 5.1). Podemos clamar pelo nome do Senhor, pois, "uma vez que ele próprio passou por sofrimento e tentação, é capaz de ajudar aqueles que são tentados" (Hb 2.18).

Não pense jamais que é imune à tentação. À medida que você for envelhecendo, mais se torna alvo dela. Muitas pessoas fracassam quando já têm mais idade, pois acham que podem escapar. Você não quer ser o tipo de pessoa que crê durante algum tempo e, na hora da provação, desvia-se (Lc 8.13). Jesus instruiu seus discípulos a vigiar e orar para não entrarem em tentação. Você deve fazer o mesmo.

A tentação de Jesus aconteceu antes de um grande avanço em sua vida e ministério. Acontecerá antes dos grandes avanços em sua vida também. Esteja preparada para ela e lembre-se de que não importa o tamanho da tentação a ser enfrentada, "pois o Espírito que está em vocês é maior que o espírito que está no mundo" (1Jo 4.4). Você tem poder de vencê-la.

– Minha oração a Deus –

Senhor, ajuda-me a ser forte em minha mente e espírito para que eu não caia em quaisquer armadilhas do inimigo. Não permitas que eu caia em tentação, mas livra-me do maligno e dos planos dele para minha destruição. A área com a qual mais me preocupo é (*mencione a área em que você pode ser tentada*). Em nome de Jesus, quebro qualquer poder que a tentação tenha sobre mim. Mantém-me forte e capaz de resistir a qualquer coisa que venha a me tentar e afastar daquilo que tu tens para mim.

Peço-te que eu não tenha pensamentos secretos quando alimento desejos impuros ou digo algo que não deveria. Peço-te que eu não tenha uma vida secreta na qual faço coisas das quais me envergonharia diante de outros. Não quero ser cúmplice de obras infrutíferas das trevas. Antes, ajuda-me a reprová-las (Ef 5.11). Faze meus caminhos retos (Hb 12.13). Não permitas que o inimigo se aproxime da área em que não posso vê-lo e me pegue de surpresa.

Sei que tu não és Deus "de desordem, mas de paz" (1Co 14.33). Preciso de tua ajuda para não me envolver em qualquer confusão a esse respeito. Ajuda-me a guardar tua Palavra em meu coração para que eu veja com clareza e não cometa pecado contra ti (Sl 119.11). Pelo poder de teu Espírito em mim, não permitirei que o pecado reine sobre mim ou me leve a obedecer a suas paixões (Rm 6.12).

Obrigada, Senhor, pois tu estás perto quando te invoco e acudirás à vontade daqueles que te temem. Obrigada por ouvires meu clamor e me salvares de qualquer fraqueza que poderia afastar-me de tudo o que tens para mim (Sl 145.18-19). Obrigada por tu saberes "resgatar das provações os que lhe são devotos" (2Pe 2.9). Obrigada porque me livrarás de toda tentação e a manterás afastada de mim.

– As promessas de Deus para mim –

Feliz é aquele que suporta com paciência as provações e tentações, porque depois receberá a coroa da vida que Deus prometeu àqueles que o amam.
Tiago 1.12

As tentações em sua vida não são diferentes daquelas que outros enfrentaram. Deus é fiel, e ele não permitirá tentações maiores do que vocês podem suportar. Quando forem tentados, ele mostrará uma saída para que consigam resistir.
1Coríntios 10.13

Portanto, uma vez que estamos rodeados de tão grande multidão de testemunhas, livremo-nos de todo peso que nos torna vagarosos e do pecado que nos atrapalha, e corramos com perseverança a corrida que foi posta diante de nós. Mantenhamos o olhar firme em Jesus, o líder e aperfeiçoador de nossa fé. Por causa da alegria que o esperava, ele suportou a

cruz sem se importar com a vergonha. Agora ele está sentado no lugar de honra à direita do trono de Deus.
HEBREUS 12.1-2

Meus irmãos, considerem motivo de grande alegria sempre que passarem por qualquer tipo de provação, pois sabem que, quando sua fé é provada, a perseverança tem a oportunidade de crescer. E é necessário que ela cresça, pois quando estiver plenamente desenvolvida vocês serão maduros e completos, sem que nada lhes falte.
TIAGO 1.2-4

Portanto, se vocês pensam que estão de pé, cuidem para que não caiam.
1CORÍNTIOS 10.12

23

Senhor, cura-me e ajuda-me a cuidar de meu corpo

Alguns anos atrás, eu quase morri. Vinha sofrendo de problemas sérios na região abdominal havia meses e passei por diferentes prontos-socorros e hospitais, consultando vários médicos e especialistas, mas ninguém conseguiu encontrar nada de errado comigo. Todos os exames mostravam que eu estava bastante saudável. Ninguém conseguia descobrir por que eu me sentia tão mal.

No meio da noite mais horrível que já passei em minha vida, senti algo explodir em meu corpo tão violentamente que sabia que morreria se não fosse socorrida. Meu marido me levou para o hospital às 3h30 da madrugada, pois eu não tinha tempo de esperar uma ambulância. No entanto, permaneci deitada no pronto-socorro durante horas, implorando que alguém me atendesse e dizendo para as pessoas que eu morreria se ninguém fizesse alguma coisa logo. Realizaram todos os exames que já haviam feito tantas outras vezes, e ainda assim ninguém conseguia encontrar nada de errado em mim.

Meu marido orou por mim continuamente, e minha irmã Susan e minha grande amiga Roz, ao chegarem ao hospital, também oraram por mim. Elas ligaram para outras pessoas e pediram que orassem para que alguém descobrisse o que estava errado comigo. Eu não conseguia orar por mim mesma, a não ser pedir: "Jesus, me ajude".

A certa altura, eu disse a Deus: "Chegou minha hora de morrer?", mas não senti que Deus dissesse que havia chegado. Na verdade, senti-o dizendo que havia coisas que ele ainda queria que eu fizesse.

Só oito horas depois que fui levada para o hospital é que o especialista chamou um cirurgião corajoso o suficiente para dizer: "Não tenho como saber o que há de errado com você, mas acredito que seu apêndice se rompeu. Vou levá-la para a cirurgia imediatamente e, se eu estiver errado, vou descobrir qual é o problema".

No fim das contas, ele estava certo. Depois da cirurgia o médico disse: "Mais uma hora e você teria entrado em coma por choque tóxico, e eu não poderia ter salvado sua vida". Sabia que Deus havia respondido a nossas orações pedindo cura, e esse cirurgião foi parte importante dessa resposta.

Durante as duas semanas seguintes, fiquei ligada a tubos e equipamentos e suportei dores que fizeram os partos parecerem agradáveis. Até mesmo aplicações constantes de morfina não faziam passar toda a dor. Quando o médico veio me ver certa manhã, perguntei a ele por que aquilo acontecera.

"Fiz alguma coisa de errado?", perguntei. "Tomei vitaminas demais? De menos? Tomei as vitaminas erradas? Não me exercitei o suficiente? Ou me exercitei demais? Sempre tentei me cuidar. Eu poderia ter feito alguma coisa diferente para evitar isso?"

"Não há nada que você pudesse ter feito para evitar isso", ele respondeu. "Provavelmente é genético e hereditário."

Mais uma vez ele estava certo. Muitas pessoas em minha família haviam tido o mesmo problema, só que quando eram muito mais jovens do que eu. Na verdade, não pensei que fosse acontecer comigo, pois havia passado da idade em que ocorrera com os outros membros da família. Percebi que, não importa quanto nos esforcemos para fazer a coisa certa, nem sempre podemos evitar que coisas ruins aconteçam com nosso corpo. Devemos fazer o melhor que pudermos quando se trata de cuidados conosco, mas sempre precisaremos de Deus para nos curar.

Duas questões separadas

Cura e cuidado do corpo são duas coisas diferentes. Quando você pede a Deus que a cure, *ele* o fará. Cuidar de seu corpo é algo que *você* faz. As duas coisas são de importância vital.

Deus sabe que somos uma raça caída e que não podemos fazer tudo perfeitamente. É por isso que ele enviou Jesus para ser aquele que nos cura. No entanto, ele também nos chama a ser bons despenseiros de tudo o que ele nos dá, incluindo nosso corpo. Ele deseja que vivamos em equilíbrio e moderação e que tenhamos cuidado para não abusar do corpo de maneira alguma. Ele deseja que o glorifiquemos no cuidado de nosso corpo, pois somos templo de seu Espírito Santo.

Muitas de nós têm a tendência de pensar: "Tudo que tenho é do Senhor, exceto minha alimentação e atividade física. Essas são minhas". Ou pensamos: "Minha vida pertence ao Senhor, mas meu corpo pertence a mim e posso fazer dele o que achar melhor". Contudo, quando somos do Senhor, nosso corpo tem de ser entregue a ele, bem como tudo o mais. Cuidar de nosso corpo não é algo que possamos fazer bem sem Deus.

A motivação para o que fazemos com relação ao cuidado do corpo é muito importante. Ela evidenciará quanto somos bem-sucedidas nessa área. Se nos alimentamos de forma correta e nos exercitamos apenas para que nossas roupas caiam bem, esse cuidado não será suficiente para nos manter bem à medida que envelhecermos. No entanto, se nos alimentamos corretamente e nos exercitamos com o propósito de ser servas mais cheias de vida e energia, saudáveis e úteis para o Senhor, esse cuidado terá consequências eternas, e é mais provável que consigamos mantê-lo.

Já ouvi pessoas dizerem: "Não me preocupo em cuidar do corpo, porque o Senhor pode me curar quando eu ficar doente". Esse tipo de pensamento cheio de presunção é perigoso e pode nos causar problemas. O plano de Satanás para nossa vida é fazer justamente aquilo que mais nos machucará. Nós o ajudamos com esse tipo de atitude. Sabotamos nossa vida quando não fazemos o que é melhor para nosso corpo e nossa saúde. Peça a Deus que a ajude a resistir ao que faz mal a você e a ser disciplinada para fazer o que é certo. Deus a ama e valoriza. Ele a criou. Você é o lugar onde o Espírito Santo dele habita, e ele deseja que você se ame e se valorize de modo a cuidar bem de seu corpo.

Em contato com aquele que cura

Apesar de todos os nossos esforços, ainda podemos adoecer. É possível fazer tudo o que sabemos e ainda assim ficarmos gravemente enfermas. Isso porque, sem nenhuma responsabilidade de nossa parte, herdamos predisposições e fraquezas de nossos ancestrais. Podemos ser expostas a doenças terríveis, que só descobrimos no momento em que surgem. Podemos sofrer acidentes. Deus sabia de tudo isso, assim enviou

Jesus para ser aquele que nos cura. O toque da cura de Jesus é a misericórdia de Deus para nós.

Na Bíblia, as pessoas simplesmente *tocavam* Jesus e eram curadas. "Aonde quer que ele fosse — aos povoados, às cidades ou aos campos ao redor —, levavam os enfermos para as praças. Suplicavam que ele os deixasse pelo menos tocar na borda de seu manto, e todos que o tocavam eram curados" (Mc 6.56). Nós também precisamos tocá-lo para encontrarmos a cura. A maneira de tocá-lo é passar tempo em sua presença. Peça a Deus que a cure e confie que ele o fará do jeito *dele* e no tempo *dele*. Entre numa parceria com Deus para cuidar de seu corpo, sabendo que, apesar de ser aquela que cuida, ele é o que cura.

– Minha oração a Deus –

Senhor, obrigada por seres aquele que cura. Volto-me para ti em busca de cura sempre que estou ferida ou enferma. Peço-te que me fortaleças e me cures no dia de hoje. Peço especificamente por (*mencione uma área na qual você precisa da cura de Deus*). Cura-me para que se cumpra "o que foi dito pelo profeta Isaías: 'Levou sobre si nossas enfermidades e removeu nossas doenças'" (Mt 8.17). Tu sofreste, morreste e foste sepultado por mim para que eu pudesse ter cura, perdão e vida eterna. Por tuas chagas fui sarada (1Pe 2.24). Sei que é em tua presença que encontrarei cura. Em tua presença posso tocá-lo e ser tocada por ti.

Só tu sabes o que é melhor para mim e o que não é, portanto peço-te que reveles isso a mim. Tira toda informação confusa e conflitante e instrui-me no que devo comer e no que devo evitar. Não posso fazê-lo sem ti, Senhor, pois só tu sabes como me criaste. Dá-me a determinação de ser disciplinada sobre o que comer, beber e de que modo me exercitar. Capacita-me para disciplinar meu corpo e dominá-lo (1Co 9.27). Senhor, tu disseste em tua Palavra: "Meu povo está sendo destruído porque não me conhece" (Os 4.6). Não quero ser destruída por ter me faltado o conhecimento da coisa certa a fazer. Ensina-me e ajuda-me a aprender. Guia-me para pessoas que podem ajudar-me ou aconselhar-me. Capacita-me para que eu siga as sugestões e orientações delas. Quando eu estiver doente e precisar consultar um médico, mostra-me qual médico devo consultar e dá a ele sabedoria sobre como cuidar de mim.

A área com a qual mais luto no cuidado de meu corpo é (*mencione a área que no momento é mais difícil para você*). Sê Senhor sobre essa parte de minha vida, para que eu possa alinhá-la com tua vontade. Ajuda-me a encontrar liberdade e livramento nessa área em que são necessários.

Senhor, quero que tudo o que faço seja para tua glória. Ajuda-me a ser uma boa despenseira do corpo que tu me deste. Confesso as vezes que julguei meu corpo, criticando-o em minha mente por não ser perfeito. Arrependo-me disso e peço-te perdão. Sei que meu corpo é o templo do Espírito Santo que habita em mim. Ajuda-me a entender plenamente essa verdade, a fim de que possa manter meu templo limpo e saudável. Ajuda-me a não maltratar meu corpo. Ensina-me a cuidar corretamente de minha saúde.

– As promessas de Deus para mim –

Alguém está doente? Chame os presbíteros da igreja para que venham e orem sobre ele e o unjam com óleo, em nome do

Senhor. Essa oração de fé curará o enfermo, e o Senhor o restabelecerá. E, se cometeu algum pecado, será perdoado. Portanto, confessem seus pecados uns aos outros e orem uns pelos outros para serem curados. A oração de um justo tem grande poder e produz grandes resultados.
TIAGO 5.14-16

Ó SENHOR, se me curares, serei verdadeiramente curado; se me salvares, serei verdadeiramente salvo. Louvo somente a ti!
JEREMIAS 17.14

"Restaurarei sua saúde e curarei suas feridas", diz o SENHOR.
JEREMIAS 30.17

Portanto, quer vocês comam, quer bebam, quer façam qualquer outra coisa, façam para a glória de Deus.
1CORÍNTIOS 10.31

Sabemos que, quando nosso corpo terreno, esta tenda em que vivemos, se desfizer, teremos um corpo eterno, uma casa no céu feita para nós pelo próprio Deus, e não por mãos humanas.
2CORÍNTIOS 5.1

24
Senhor, liberta-me do medo nocivo

Durante anos, eu não conseguia tomar banho sem ficar com medo. Isso por causa de todas as imagens assustadoras do filme *Psicose*, que voltavam sempre para me aterrorizar. Eu havia assistido ao filme quando jovem, e desde então ele estragara todo o meu prazer de tomar banho. Foi só quando aceitei o Senhor e alguém orou por mim para que eu fosse libertada do medo que pude, de fato, fechar os olhos no chuveiro e desfrutar da água.

Havia ainda uma porção de outras coisas das quais eu tinha medo, como de morrer, passar fome, fracassar, de avião, acidentes, agulhas, facas, de me perder, ser abandonada, ficar doente, ser ferida, do escuro, do desconhecido, da opinião alheia e de ser rejeitada. No entanto, Deus me curou de cada um desses medos. Orei especificamente sobre alguns deles. Outros simplesmente foram embora à medida que aprendi a andar com o Senhor e a passar tempo em seu amor e sua presença.

Deus não deseja que vivamos com medo. O medo não vem dele. É o mundo que nos ensina a ter medo. As coisas que vemos no cinema, em vídeos, nos jornais e em livros nos dão medo. O que ouvimos as pessoas dizer ou as vemos fazer nos dá medo. O inimigo pode nos levar a ter medo de tudo, inclusive de nosso futuro. É desgastante se preocupar que algum de seus medos vai se concretizar. Contudo, não é preciso ser atormentada pelo medo.

Medo nocivo

Existem dois tipos de temor: o que é do Senhor e o que é nocivo. Devemos orar para viver no temor do Senhor, que é bom, e não no medo nocivo, que é um tormento. Um dos tipos mais comuns de medo nocivo é o temor às pessoas ou o medo da rejeição. É uma armadilha em que podemos cair sem nem mesmo perceber. A fim de nos protegermos dele, precisamos nos preocupar mais com o que *Deus* diz do que com o que qualquer outra pessoa diz. Devemos nos voltar para ele em busca de aprovação e aceitação e não para outras pessoas. Se Deus não ocupa o primeiro lugar em nosso coração, estamos sempre temendo as pessoas. "Temer as pessoas é uma armadilha perigosa, mas quem confia no Senhor está seguro" (Pv 29.25).

Há tanto o que temer neste mundo. Por vezes, só é preciso uma notícia para nos encher de medo. Nossa própria imaginação pode assustar-nos, mas Deus deseja nos libertar de todo o medo para sempre.

Quatro boas maneiras de livrar-se do medo nocivo

1. *Livre-se do medo nocivo orando*. A Bíblia diz que temos medo porque não fomos aperfeiçoadas no amor. "Esse amor não tem medo, pois o perfeito amor afasta todo medo. Se temos medo, é porque tememos o castigo, e isso mostra que ainda não experimentamos plenamente o amor" (1Jo 4.18). O único amor perfeito é o amor de Deus. A maneira de aperfeiçoar-se no amor dele é achegar-se a ele e deixar que ele a encha de seu amor. Quando você o fizer, ele a libertará de todo medo.

2. *Livre-se do medo nocivo controlando o que você recebe em sua mente.* As coisas do mundo podem muitas vezes nos causar medo. Que tipo de informação você está recebendo do mundo? Algumas dessas coisas estão lhe causando medo? Como você pode mudar isso? Você assiste a filmes de terror no cinema ou a programas assustadores na televisão? Em vez disso, leia a Palavra. Se assistir ao noticiário lhe dá medo, ou não assista a ele ou o use como oportunidade para orar pelas situações que aparecem nas notícias. Faça todo o possível para achegar-se a Deus (você pode, por exemplo, ouvir música de adoração ou entoar cânticos de louvor). O medo desaparece na presença do Senhor.

3. *Livre-se do medo nocivo passando tempo com a Palavra de Deus.* Muitas vezes em minha vida, quando me sentia amedrontada, descobri que todo o medo desaparecia com a simples leitura da Bíblia. Saber o que a Palavra de Deus diz sobre os medos e as promessas que Deus nos deu pode fazer toda a diferença. Diante do medo, podemos ainda falar em voz alta trechos da Palavra, o que é uma arma poderosa contra ele. Você nem precisa ler ou citar Escrituras específicas sobre o medo. Ler qualquer parte da Bíblia pode afastar o medo, pois o Espírito do Senhor encontra-se em cada página.

4. *Livre-se do medo nocivo ao viver no temor do Senhor.* Quanto mais você vier a conhecer o Senhor e compreender quem ele é, mais o reverenciará e maior temor terá de desagradá-lo. Isso se chama temor do Senhor e faz com que você lhe obedeça. É aquilo que leva você a se achegar a Deus e aumenta seu desejo por ele. Faz com que você se esqueça de todas as coisas que lhe dão medo, pois elas se tornam ínfimas em comparação com o imenso poder de Deus. Quando você tem o temor do Senhor, você teme o que seria de sua vida sem ele.

Temor do Senhor

Noé é um bom exemplo de temor do Senhor. Ele passou todo aquele tempo preparando a arca para o dilúvio que estava por vir porque tinha temor do Senhor. "Pela fé, Noé construiu uma grande embarcação para salvar sua família do dilúvio. Ele obedeceu a Deus, que o advertiu a respeito de coisas que nunca haviam acontecido. Pela fé, condenou o resto do mundo e recebeu a justiça que vem por meio da fé" (Hb 11.7). As pessoas riram e caçoaram dele enquanto construía a arca, mas Noé cria em Deus e preocupava-se mais com o que Deus dizia do que com aquilo que as pessoas diziam. No final, isso acabou salvando sua vida. Eis a melhor coisa que você pode fazer: "Tema a Deus e obedeça a seus mandamentos, pois esse é o dever de todos" (Ec 12.13). Isso também salvará sua vida.

Sete coisas boas que resultam de temer a Deus

1. *A bênção da provisão de Deus.* "Temam o SENHOR, vocês que lhe são fiéis, pois os que o temem terão tudo de que precisam" (Sl 34.9).

2. *A bênção da proteção de Deus.* "O temor do SENHOR conduz à vida; dá segurança e proteção contra o mal" (Pv 19.23).

3. *A bênção do amor de Deus.* "Pois seu amor por aqueles que o temem é imenso como a distância entre os céus e a terra" (Sl 103.11).

4. *A bênção da bondade de Deus.* "Grande é a bondade que reservaste para os que te temem! Tu a concedes aos que em ti se refugiam e os abençoas à vista de todos" (Sl 31.19).

5. *A bênção da abundância de Deus.* "A humildade e o temor do SENHOR trazem riquezas, honra e vida longa" (Pv 22.4).

6. *A bênção da resposta de Deus.* "Ele concede os desejos dos que o temem; ouve seus clamores e os livra" (Sl 145.19).
7. *A bênção da liberdade de Deus.* "O temor do Senhor evita o mal" (Pv 16.6).

Deus tem segredos. Não é que ele não deseja que você conheça esses segredos, é que ele deseja que você se achegue a ele e os descubra. "O Senhor é amigo dos que o temem" (Sl 25.14). *Deus deseja que você ande com ele, fale com ele e tenha com ele o tipo de relacionamento no qual ele compartilha de si com você e lhe diz coisas que você não sabia antes e que não ficaria sabendo se ele não lhe revelasse.* Quando você se aproximar e se aquietar o suficiente, ele sussurrará em seu coração um segredo, e este mudará sua vida. Nesse momento, todo o seu medo se dissipará. Peça a Deus que lhe fale no dia de hoje.

– Minha oração a Deus –

Senhor, tu és minha luz e salvação. És a fortaleza de minha vida. De quem terei medo? Mesmo que um exército inteiro faça um cerco e me combata, meu coração não se atemorizará (Sl 27.1-3). Serei forte e corajosa, pois sei que estás comigo aonde quer que eu vá (Js 1.9). Liberta-me do medo nocivo, pois sei que o medo nunca vem de ti.

Guarda meu coração e mente do espírito de medo. Hoje estou com medo de (*mencione algo que lhe causa medo*). Tira esse medo e, no lugar dele, coloca teu perfeito amor. Se tenho em minha mente quaisquer pensamentos alimentados pelo medo, revela-os a mim. Se minha mente não está voltada para ti, mas sim para minhas condições, ajuda-me a mudar isso, a fim de que minha mente se desligue das circunstâncias e volte-se para ti. Mostra-me onde estou permitindo que o medo crie raízes e ajuda-me a impedir que isso aconteça. Remove de dentro de mim meu medo de rejeição e todo medo das pessoas e, no lugar deles, coloca o temor do Senhor.

Tua Palavra diz que tu colocarás o temor no coração de teu povo e não deixarás de fazer o bem a ele (Jr 32.40). Peço-te que faças isso por mim. Sei que não me deste um espírito de medo, portanto eu rejeito esse medo e, em vez disso, aproprio-me do poder, do amor e da clareza da mente que tu tens para mim. "Grande é a bondade que reservaste para os que te temem!" (Sl 31.19). Porque recebi um reino inabalável, posso ter a graça pela qual te sirvo de modo agradável, com reverência e santo temor todos os dias de minha vida (Hb 12.28).

Obrigada porque "o temor do SENHOR conduz à vida; dá segurança e proteção contra o mal" (Pv 19.23). Ajuda-me a crescer no temor e na reverência a ti, para que eu possa agradar-te e escapar dos planos do mal para minha vida. Obrigada porque nada de bom jamais faltará àqueles que te temem.

– As promessas de Deus para mim –

Pois Deus não nos deu um Espírito que produz temor e covardia, mas sim que nos dá poder, amor e autocontrole.
2Timóteo 1.7

Esse amor não tem medo, pois o perfeito amor afasta todo medo. Se temos medo, é porque tememos o castigo, e isso mostra que ainda não experimentamos plenamente o amor.
1João 4.18

Ensina-me os teus caminhos, SENHOR, para que eu viva segundo a tua verdade. Concede-me pureza de coração, para que eu honre o teu nome.
SALMOS 86.11

Quando clamarem por socorro, não responderei; ainda que me procurem, não me encontrarão. Porque detestaram o conhecimento e escolheram não temer o SENHOR.
PROVÉRBIOS 1.28-29

Clame por inteligência e peça entendimento. Busque-os como a prata, procure-os como a tesouros escondidos. Então entenderá o que é o temor do SENHOR e obterá o conhecimento de Deus.
PROVÉRBIOS 2.3-5

25
Senhor, usa-me para tocar a vida de outros

Durante os meses em que escrevia *O poder da esposa que ora*, senti-me guiada pelo Espírito Santo para orar por algo pelo qual jamais havia orado antes. Sempre pedi a Deus que me ajudasse a escrever cada livro, mas dessa vez, além disso, senti-me guiada pelo Espírito a orar para que esse livro fosse um avanço em termos do número de pessoas que viria a alcançar. Havia escrito três livros anteriormente e nunca me ocorrera orar dessa maneira. Compartilhei o que estava sentindo com os membros de meu grupo de oração, e eles concordaram plenamente. Juntos, oramos para que Deus levasse esse livro aos confins da terra e providenciasse para que ele fosse traduzido para muitas outras línguas. Mal pude acreditar que estava pedindo a Deus algo tão grandioso, mas senti de todo o meu coração que era exatamente dessa forma que Deus desejava que eu orasse. Fizemos essa oração toda semana, mesmo um bom tempo depois que o livro havia sido publicado.

Ao longo dos anos que se seguiram, editoras de diferentes países ao redor do mundo me escreveram pedindo permissão para traduzir o livro e publicá-lo. Logo recebi exemplares de meu livro traduzido para o francês, alemão, português, nigeriano, holandês, húngaro, coreano, russo, espanhol, japonês, indonésio e africâner. Hoje o livro já foi traduzido para mais de quarenta línguas. Cada tradução fez meu coração saltar de alegria, pois Deus havia respondido à minha oração de maneira poderosa.

Certo dia, recebi uma caixa de livros meus que haviam sido traduzidos para o chinês e comecei a chorar. Era algo que eu jamais havia sonhado ser possível. Podia ver todas aquelas queridas mulheres chinesas, com as quais eu jamais me encontraria, lendo o livro e aprendendo a orar por suas famílias. Era fisicamente impossível eu viajar pelo mundo todo a fim de alcançar esse número tão grande de pessoas em todos esses diferentes países, e sabia que jamais chegaria até a China. Mas a mensagem que eu recebera de Deus chegaria. Essas pessoas nunca vão se encontrar comigo, mas vão ter um encontro mais profundo com Deus.

Que resposta poderosa de oração! Os membros de meu grupo de oração e eu conversamos muitas vezes sobre o primeiro dia em que fizemos aquela oração e o que Deus realizou para responder a ela. Desde então, a cada livro que escrevo peço: "Deus, usa-me para tocar a vida de outras pessoas ao redor do mundo com teu amor, misericórdia, esperança e verdade". Você também pode fazer essa oração, e Deus usará suas capacidades e talentos para tocar outras pessoas de maneira poderosa. Quando o desejo de seu coração é dar aos outros aquilo que você tem recebido de Deus, ele a capacitará para fazê-lo.

Doar a Deus e a outras pessoas é uma parte tão vital de nossa vida aqui na terra que jamais poderemos alcançar tudo o que desejamos em nossa vida se não o fizermos. É um fator importante para realizar o pleno propósito de Deus para nós. Jamais poderemos ser verdadeiramente completas e realizadas ou encontrar paz duradoura se não doarmos a outros.

Liberamos o fluxo das bênçãos de Deus *para* nós ao permitirmos que elas fluam *por nosso intermédio*. Doar a Deus e a outras pessoas cria um espaço em que Deus derrama ainda mais bênçãos. Se interrompemos esse fluxo, interrompemos nossa vida. Devemos orar para que Deus nos mostre como doar e nos capacite para fazê-lo.

A dádiva da oração

Muitas pessoas me escreveram contando como meus livros ajudaram a salvar o casamento, os filhos ou a vida delas. Perguntaram o que podiam fazer por mim em troca. Minha resposta sempre é: "A maior coisa que você pode fazer por mim é orar por mim. Ore por minha proteção, saúde, família e casamento. Ore para que eu tenha uma mente clara e seja capaz de escrever livros que levem as pessoas a se achegarem ao Senhor, de modo que ele transforme a vida delas". Não há dádiva maior que eu possa receber do que as orações de alguém. Creio que as orações de milhares de pessoas salvaram minha vida quando estava no hospital. Se você é uma delas, eu lhe sou eternamente grata. Sinto suas orações, e elas são a razão de eu estar viva hoje.

A oração é a maior dádiva que podemos oferecer a qualquer pessoa. É claro que se alguém precisa de comida, roupas e um lugar para morar, essas necessidades também devem ser supridas. No entanto, ao doar dessa maneira, não podemos deixar de orar por essas pessoas também. As coisas materiais são temporárias, mas as orações que fazemos por outra pessoa podem impactá-la por toda a vida.

Jamais poderemos alcançar tudo o que Deus tem para nós a menos que antes cheguemos à oração intercessora. Ela é uma parte de nosso chamado que temos em comum, pois todas nós fomos chamadas para interceder pelos outros. Deus deseja que amemos as outras pessoas a ponto de dar nossa vida por elas em oração.

No Onze de Setembro, intercessores começaram a orar imediatamente pelas pessoas envolvidas nas tragédias em Nova York, na Pensilvânia e em Washington D.C. Então, do país inteiro, pessoas pegaram seus carros e foram até Nova York porque queriam oferecer ajuda. Fizeram fila para doar sangue. Doaram dinheiro para famílias desoladas. Todos fizeram o que podiam, mas tudo começou com orações. "Filhinhos, não nos limitemos a dizer que amamos uns aos outros; demonstremos a verdade por meio de nossas ações" (1Jo 3.18). Se você ama a Deus, amará as pessoas, e esse amor a motivará a fazer tudo que puder para ajudá-las. A oração é um bom começo.

Deus deseja que contribuamos para os outros. Ele diz que se não ajudamos os necessitados, não o amamos de verdade. "Se alguém tem recursos suficientes para viver bem e vê um irmão em necessidade, mas não mostra compaixão, como pode estar nele o amor de Deus?" (1Jo 3.17). "Não se preocupem com seu próprio bem, mas com o bem dos outros" (1Co 10.24). "A pessoa generosa será abençoada, pois alimenta o pobre" (Pv 22.9).

As maiores bênçãos virão quando você pedir a Deus que a use para tocar a vida de outras pessoas.

– Minha oração a Deus –

Senhor, ajuda-me a servir-te como tu desejas que eu o faça. Revela-me qualquer área de minha vida em que eu deveria contribuir para alguém neste momento. Abre meus olhos para ver a necessidade. Concede-me um coração generoso para dar aos pobres. Ajuda-me a ser uma boa despenseira das bênçãos que tu me deste ao compartilhar com outros aquilo que tenho. Mostra-me a quem desejas que eu estenda a mão neste instante. Enche-me de teu amor por todas as pessoas e ajuda-me a transmiti-lo de uma forma que possa ser claramente percebida. Usa-me para tocar a vida de outros com a esperança que há em mim.

Ajuda-me a dar a ti da maneira como devo. Não quero roubar de ti nada que lhe é devido. Senhor, sei que onde está meu tesouro, lá também está meu coração (Mt 6.21). Que meu maior tesouro esteja sempre no servir a ti.

Senhor, mostra-me o que desejas que eu faça no dia de hoje, a fim de ser uma bênção para outros ao meu redor. Peço-te especificamente que mostres como posso servir minha família, meus amigos, minha igreja e as pessoas que tu colocaste em minha vida. Não quero ficar tão envolvida com minha própria vida, a ponto de não ver as oportunidades de ministrar tua vida para outros. Mostra-me o que desejas que eu faça e capacita-me para fazê-lo. Faze de mim uma de tuas fiéis intercessoras e ensina-me a orar em poder. Ajuda-me a fazer uma grande diferença no mundo por estares trabalhando, por meu intermédio, para tocar a vida de outros para tua glória.

– As promessas de Deus para mim –

Deus concedeu um dom a cada um, e vocês devem usá-lo para servir uns aos outros, fazendo bom uso da múltipla e variada graça divina. Você tem o dom de falar? Então faça-o de acordo com as palavras de Deus. Tem o dom de ajudar? Faça-o com a força que Deus lhe dá. Assim, tudo que você realizar trará

glória a Deus por meio de Jesus Cristo. A ele sejam a glória e o poder para todo o sempre! Amém.
1Pedro 4.10-11

Sabemos o que é o amor porque Jesus deu sua vida por nós. Portanto, também devemos dar nossa vida por nossos irmãos.
1João 3.16

Portanto, não nos cansemos de fazer o bem. No momento certo, teremos uma colheita de bênçãos, se não desistirmos.
Gálatas 6.9

Os sábios brilharão intensamente como o esplendor do céu, e os que conduzem muitos à justiça resplandecerão como estrelas, para sempre.
Daniel 12.3

Eu lhes digo a verdade: quem crê em mim fará as mesmas obras que tenho realizado, e até maiores, pois eu vou para o Pai. Vocês podem pedir qualquer coisa em meu nome, e eu o farei, para que o Filho glorifique o Pai. Sim, peçam qualquer coisa em meu nome, e eu o farei!
João 14.12-14

26
Senhor, capacita-me para falar somente palavras que vivificam

Quando eu tinha 14 anos, apresentei um vizinho a uma de minhas amigas como "Zé Gordo". Todas as outras crianças o chamavam de "Zé Gordo" para distingui-lo dos outros "Zés". No instante em que o apresentei, vi uma expressão de mágoa em seus olhos e percebi que esse não era o nome que *ele* usava para si mesmo. Eu me senti mal com aquilo porque minha intenção jamais tinha sido magoá-lo. Na verdade, a meu ver, ele era bonito, e o fato de ser gordo não o tornava menos atraente. Obviamente ele pensava diferente. Para mim, tratava-se apenas de um apelido engraçado, com o qual ele não se importava. É claro que esse não era o caso. Na época, eu não tinha a menor ideia de que ninguém se sente bem em ter um apelido desses e também estava muito envergonhada e era imatura para pedir desculpas. Esperava que, ao fingir que nada havia acontecido, ele se esqueceria e tudo ficaria bem.

Pouco tempo depois eu me mudei e nunca mais o vi. Só percebi a importância desse incidente cerca de quinze anos depois, quando me tornei cristã. No desejo de estar completamente em ordem diante de Deus e consertar o passado, pedi ao Senhor que me fizesse lembrar de qualquer coisa da qual eu precisava ser perdoada a fim de que pudesse confessá-la a ele. Minha mente encheu-se de muitas lembranças de coisas erradas que eu fizera, e uma delas foi a forma como apresentei aquele meu vizinho. Eu me senti péssima com minhas palavras impensadas e — mesmo que não intencionalmente — cruéis e com o estrago que elas devem ter causado. Não podia acreditar que depois de todas as vezes em minha vida que eu fora magoada pelos comentários insensíveis de outros, havia feito a mesma coisa com outra pessoa. Pedi a Deus que me perdoasse por ser tão desamorosa e tola.

Se eu pudesse ter encontrado meu vizinho e pedido desculpas a ele em pessoa, eu o teria feito. No entanto, isso não foi possível, de modo que procurei compensar orando para que Deus abençoasse a vida dele de todas as maneiras. Orei para que, de alguma forma, as palavras que eu tinha dito fossem apagadas de sua memória ou pelo menos que perdessem o efeito e ele fosse sarado de qualquer dor que meu comentário possivelmente havia lhe causado. Orei para que ele fosse capaz de perdoar-me. Orei para que eu fosse capaz de perdoar-me.

Uma das áreas que podem causar mais problemas em nossa vida fica no rosto, entre o queixo e o nariz. Com a boca, dizemos coisas que não devemos, acabamos magoando outras pessoas e sofrendo as consequências. Eu estava pagando as consequências das palavras que dissera quinze anos antes. Não podemos retirar o que dissemos depois que foi dito. Tudo o que podemos fazer é pedir desculpas e esperar que sejamos perdoadas por aquele que ofendemos. A melhor maneira de garantir que aquilo que sai de nossa boca seja bom é colocar em nosso coração pensamentos que sejam bons. "Pois a boca fala do que o coração está cheio" (Mt 12.34). Se enchermos nosso coração com a verdade e o amor de Deus, é isso que sairá de nossa boca.

Você já ficou perto de alguém que reclama o tempo todo ou fala coisas negativas sobre si mesmo e sobre os outros? Não é exaustivo? Já teve contato com uma pessoa de quem você jamais imaginava ouvir as coisas horríveis que ouviu? Não vemos a hora de sair de perto dela. A Bíblia diz que devemos fazer "tudo sem queixas nem discussões" (Fp 2.14). Quando reclamamos, refletimos nossa falta de fé em Deus. Prova que não acreditamos que Deus está no controle e que ele pode cuidar de nós. Indica que não confiamos que Deus responderá às orações. Mostra que não estamos orando. É desgastante ficar perto de pessoas que têm uma falta de fé tão evidente.

Imagine se, toda vez que abríssemos a boca, disséssemos palavras cobertas de cura, edificação, ânimo, consolo, sabedoria, amor e verdade. É possível fazer isso se pedirmos que Deus nos ajude. É perigoso dizer tudo o que vem à mente — a menos que o que vem à sua mente seja bom. Se seus pensamentos estão fixos em coisas boas, as palavras de sua boca refletirão isso.

Oito coisas boas em que pensar diariamente (extraído de Filipenses 4.8)

1. *Tudo o que é verdadeiro.* Se você pensar naquilo que é honesto, genuíno, autêntico, sincero, fiel, preciso e verdadeiro, então não dirá nada que seja falso, incorreto, errado, enganoso ou dissimulado.

2. *Tudo o que é nobre.* Se você pensar naquilo que é respeitável, elevado, excelente, magnânimo, superior ou honorável, então não dirá nada que seja vulgar, pequeno, mesquinho, desonroso ou baixo.

3. *Tudo o que é correto.* Se você pensar naquilo que é imparcial, razoável, equitativo, exato, legítimo, certo, justo, merecido,

reto, honorável e próprio, então não dirá nada que seja injustificado, preconceituoso, infundado, ilegítimo ou partidário.

4. *Tudo o que é puro.* Se você pensar naquilo que é límpido, claro, imaculado, casto, íntegro, cândido, alvo e inocente do mal, então não dirá nada que seja inferior, maculado, adulterado, pervertido, poluído, corrompido, sórdido ou torpe.

5. *Tudo o que é amável.* Se você pensar naquilo que é agradável, aprazível, gracioso, satisfatório ou admirável, então não dirá nada que seja desprezível, ofensivo, desagradável, repugnante, repulsivo, detestável ou feio.

6. *Tudo o que é admirável.* Se você pensar naquilo que é de boa fama, encantador, recomendado, positivo, que vale a pena, que é digno de ser repetido, então não dirá nada que seja negativo, desanimador, indesejável ou cheio de más notícias, fofocas e rumores.

7. *Tudo o que é excelente.* Se você pensar naquilo que é moral, ético, reto, virtuoso, bom, valoroso, que está em conformidade com padrões elevados, então não dirá nada que seja depravado, antiético, licencioso, ruim, libertino, dissoluto, perverso ou imoral.

8. *Tudo o que é digno de louvor.* Se você pensar naquilo que é louvável, admirável, elogiável, valioso, aclamado, aplaudido, glorificado, exaltado, honorável ou aprovado, então não dirá nada que seja crítico, condenatório, depreciativo, reprovador, censurador, injurioso, humilhante ou deprimente.

Quando uma mulher sábia fala

Quando uma mulher sábia fala, ela justifica a esperança que existe dentro dela. As palavras mais importantes que podemos dizer são as que explicam nossa fé a qualquer um que pergunte ou que esteja disposto a ouvir. Devemos ser capazes de justificar a esperança que temos dentro de nós (1Pe 3.15). Precisamos orar para que Deus nos ajude a nos tornarmos ousadas o suficiente para explicar de maneira clara nossa fé em Deus. Precisamos pedir a Deus que nos ajude a contar aos outros por que dizemos que Jesus é nosso Messias, por que não podemos viver sem o Espírito Santo e por que escolhemos viver nos caminhos de Deus. Devemos ainda ser capazes de fazê-lo de maneira amorosa e humilde, ou nos alienaremos daqueles que Deus deseja trazer para perto de si. Se o amor de Deus e o testemunho de sua bondade não estão em nosso coração, então não sairão de nossa boca. E aquilo que dissermos não atrairá as pessoas para o Senhor. Talvez, na verdade, acabe fazendo exatamente o oposto.

Quando uma mulher sábia fala, ela sabe que o tempo certo é importante. Quando é preciso dizer coisas que são difíceis para aquele que está ouvindo, é de suma importância saber o tempo certo. Não se pode dizer determinadas palavras com sucesso, se a pessoa que estiver ouvindo não se encontrar aberta e pronta a elas. É importante discernir isso, e a única maneira de saber com certeza quando devemos falar e o que devemos falar é orar sobre isso de antemão. A Bíblia diz que não devemos ser precipitadas em falar (Pv 29.20). Uma mulher sábia sabe que não deve compartilhar todos os pensamentos que lhe vêm à mente. "O tolo mostra toda a sua ira, mas o sábio a controla em silêncio" (Pv 29.11). Você pode ter coisas boas a dizer, mas as pessoas nem sempre estão preparadas para ouvi-las. Só Deus sabe ao certo quando alguém está pronto. Peça a Deus que lhe mostre.

Quando uma mulher sábia fala, ela diz a verdade. Quando não dizemos a verdade, magoamos os outros e a nós mesmas também. "Portanto, abandonem a mentira e digam a verdade a seu próximo, pois somos todos parte do mesmo corpo" (Ef 4.25). No entanto, não podemos sair por aí falando a verdade sem sabedoria, sensibilidade e noção do momento certo de acordo com o Senhor. As pessoas não querem ouvir cada mínimo detalhe da verdade sobre si mesmas o tempo todo. É demais para elas. Algumas vezes, é melhor não dizer nada e pedir a Deus que lhe mostre quando a pessoa estiver pronta para ouvir a verdade.

Quando uma mulher sábia fala, ela não é tagarela. Devemos ter cuidado para não falar mais do que o necessário. "Do excesso de trabalho vem o sonho agitado; do excesso de palavras vêm as promessas do tolo" (Ec 5.3). Sempre disse a meu grupo de oração que não devemos passar mais tempo falando sobre os pedidos do que passamos orando por eles. Além disso, não podemos simplesmente deixar que as palavras saiam de nossa boca sem pensar naquilo que estamos falando. Prestaremos contas de todas as palavras frívolas no dia do julgamento (Mt 12.36). É uma ideia assustadora. Devemos pedir a Deus que nos torne sábias com relação a quanto devemos falar.

Quando uma mulher sábia fala, suas palavras são bondosas. Não podemos falar palavras maldosas, insensíveis, ásperas, ríspidas, rudes, enganosas, ofensivas ou arrogantes sem colher as consequências. Com nossas palavras podemos construir ou destruir vidas. "As palavras vêm do coração, e é isso que os contamina" (Mt 15.18). "As palavras do sábio trazem aprovação, mas o tolo é destruído por aquilo que ele mesmo diz" (Ec 10.12). Peça a Deus que crie em você um coração puro tão cheio do Espírito Santo, de seu amor e sua verdade a ponto de transbordar de amor, verdade e cura naquilo que você diz. Peça a Deus que a ajude a encontrar palavras que vivifiquem os que estão ao seu redor.

– Minha oração a Deus –

Senhor, ajuda-me a ser uma pessoa que diz palavras que constroem e não destroem. Ajuda-me a ter palavras vivificadoras para as situações e pessoas ao meu redor e não palavras de morte. Enche meu coração novamente a cada dia com teu Santo Espírito, para que teu amor e tua bondade transbordem de meu coração para minha boca. Ajuda-me a falar apenas coisas que são verdadeiras, nobres, corretas, puras, amáveis, excelentes e dignas de louvor. "Que as palavras da minha boca e a meditação do meu coração sejam agradáveis a ti, Senhor, minha rocha e meu redentor!" (Sl 19.14). Guarda minha boca de dizer qualquer mal ou qualquer coisa que não seja verdadeira. Espírito Santo da verdade, guia-me em toda a verdade. Ajuda-me a falar "de acordo com as palavras de Deus" e com a capacidade que vem de ti, para que tu possas ser glorificado (1Pe 4.11). Que cada palavra minha reflita tua pureza e teu amor.

Tua Palavra diz que "é da natureza humana fazer planos, mas a resposta certa vem do Senhor" (Pv 16.1). Prepararei meu coração ao passar tempo com tua Palavra todos os dias e obedecer a tuas leis. Prepararei meu coração ao adorar-te e dar-te graças em todas as coisas. Enche meu coração de amor, paz e alegria para que elas fluam de minha boca. Mostra-me quando murmuro ou falo de modo negativo. Ajuda-me a não falar rápido demais ou em excesso. Ajuda-me a não usar palavras que causem falhas de comunicação. Mostra-me quando falar e quando ficar calada. E, quando eu falar, dá-me palavras que trarão vida e edificação.

Ajuda-me a ser uma mulher que fala com sabedoria, bondade e clareza e nunca de modo leviano, áspero ou insensível.

Dá-me palavras que falam da esperança que há dentro de mim, a fim de que eu possa explicar minha fé de modo persuasivo e tocante. Que minhas palavras conduzam os outros a um conhecimento mais pleno de ti.

— As promessas de Deus para mim —

Se quiser desfrutar a vida e ver muitos dias felizes, refreie a língua de falar maldades e os lábios de dizerem mentiras.
1PEDRO 3.10

Da mente sábia vêm conselhos sábios; as palavras dos sábios são convincentes.
PROVÉRBIOS 16.23

Consagrem a Cristo como o Senhor de sua vida. E, se alguém lhes perguntar a respeito de sua esperança, estejam sempre preparados para explicá-la. Façam-no, porém, de modo amável e respeitoso. Mantenham sempre a consciência limpa. Então, se as pessoas falarem mal de vocês, ficarão envergonhadas ao ver como vocês vivem corretamente em Cristo. Lembrem-se de que é melhor sofrer por fazer o bem, se for da vontade de Deus, do que por fazer o mal.
1PEDRO 3.15-17

Palavras bondosas são como mel: doces para a alma e saudáveis para o corpo.
PROVÉRBIOS 16.24

O rei se agrada de palavras que vêm de lábios justos e ama quem fala o que é certo.
PROVÉRBIOS 16.13

27
Senhor, transforma-me numa mulher com uma fé que move montanhas

Em meu aniversário de dez anos ganhei uma corrente de ouro delicada com um pendente que era uma pequena bola de vidro. Dentro da bola havia um minúsculo grão de mostarda. Na época eu pensei: "Por que alguém se daria o trabalho de colocar lá dentro uma semente tão pequena que mal se pode enxergar?". Obviamente não entendi o espírito da coisa.

Foi só algum tempo depois que aprendi o significado daquele pequeno grão. Jesus disse: "Se tivessem fé, ainda que do tamanho de uma semente de mostarda, poderiam dizer a este monte: 'Mova-se daqui para lá', e ele se moveria. Nada seria impossível para vocês" (Mt 17.20). Desde então pensei muito sobre quanto era pequeno aquele grão. Se a fé necessária para mover montanhas só precisa ser daquele tamanho, então certamente posso conseguir ter fé suficiente para mover os obstáculos de minha vida.

Deus toma o grão minúsculo de fé que temos e o faz crescer, tornando-o grande quando agimos pela fé. A Bíblia diz que Deus repartiu a cada um uma medida da fé (Rm 12.3). Já temos alguma fé para começar. Quando damos um passo por essa fé, Deus *aumenta* nossa fé. Em outras palavras, agir pela fé gera mais fé.

Quer se dê conta, quer não, você está vivendo pela fé todos os dias. Cada vez que você vai ao médico, confia que ele fará o que é certo. Quando compra um remédio na farmácia, acredita que ele terá o efeito desejado. Quando vai a um restaurante, crê que não vão envenená-la. (Alguns restaurantes requerem mais fé do que outros.) Não será mais fácil e mais certo confiar em Deus?

Não fazemos ideia das grandes coisas que Deus quer fazer por nosso intermédio se dermos um passo de fé quando ele nos pede para fazê-lo. É por isso que ele permite que passemos por alguns momentos difíceis. Momentos em que nos sentimos fracas e vulneráveis. Ele permite que certas coisas aconteçam para que nos voltemos para ele com toda a nossa atenção. É nesses momentos, quando somos forçadas a orar com maior fé, que ela se fortalece.

Jesus disse: "Seja feito conforme a sua fé" (Mt 9.29). Dependendo do tipo de fé que você tem, essa ideia pode ser assustadora. No entanto, há coisas que podemos fazer para aumentar a fé, como ler a Palavra de Deus. A fé vem quando simplesmente ouvimos a Palavra (Rm 10.17). Quando você tomar as promessas e verdades da Palavra de Deus e declará-las em voz alta, sentirá sua fé aumentando.

Orar também aumenta nossa fé, pois pela oração estendemos nossa mão e tocamos Deus. Em certo momento, uma mulher estendeu a mão para o Senhor, crendo que, se tão somente tocasse em seu manto, seria curada (Mt 9.20-22). Toda vez que estendemos a mão para Deus em oração, nossa vida é curada de alguma forma e nossa fé é aumentada.

A cada dia, torna-se mais essencial que tenhamos fé. Haverá momentos na vida quando precisaremos do tipo de fé que pode fazer a diferença entre o sucesso e o fracasso, a vitória e a derrota, a vida e a morte. É por isso que pedir por mais fé deve ser uma oração constante. Não importa quanta fé você tenha, Deus pode aumentá-la.

Mesmo quando sua fé parece pequena, você pode ordenar pela fé que as montanhas em sua vida se movam, e Deus fará o impossível. Você pode orar para que as partes deficientes de sua vida sejam curadas, e Deus trará restauração. Você pode pedir a Deus que aumente sua fé e lhe dê ousadia para agir por essa fé, e ele o fará.

De qual promessa de Deus você gostaria de apropriar para si pela fé neste instante? Que oração gostaria de fazer com ousadia pela fé e ver respondida? O que gostaria de ver realizado em sua vida ou na vida de alguém que você conhece e que requereria uma oração com grande fé? Peça a Deus que tome esse grão que você tem e o faça crescer, transformando-o em uma árvore gigante de fé para que você possa ver essas coisas acontecerem.

– Minha oração a Deus –

Senhor, aumenta minha fé. Ensina-me a andar pela fé e não pelo que vejo (2Co 5.7). Dá-me forças para manter-me firme em tuas promessas e crer em cada uma de tuas palavras. Não quero ser como o povo que ouviu a palavra, mas nada aproveitou dela, pois não foi acompanhada pela fé (Hb 4.2). Sei que "a fé vem por ouvir, isto é, por ouvir as boas-novas a respeito de Cristo" (Rm 10.17). Faze minha fé crescer cada vez que ouço ou leio tua Palavra. Ajuda-me a crer para que tuas promessas se cumpram em mim. Peço-te que a autenticidade de minha fé, que é mais preciosa que o ouro que perece quando provado pelo fogo, resulte em glória e honra a ti, Senhor (1Pe 1.7).

Sei que "a fé mostra a realidade daquilo que esperamos; ela nos dá convicção de coisas que não vemos" (Hb 11.1). Sei que fui salva pela graça, mediante a fé, e que isso é dádiva tua (Ef 2.8). Aumenta minha fé para que eu possa orar com poder. Dá-me fé para crer na cura toda vez que oro pelos enfermos. Não quero ver uma necessidade e então não ter fé suficiente para orar e crer na mudança daquela situação.

Ajuda-me a tomar sempre o "escudo da fé" para "deter as flechas de fogo do maligno" (Ef 6.16). Ajuda-me a pedir "com fé, sem vacilar". Pois sei que "aquele que duvida é como a onda do mar, empurrada e agitada pelo vento". Sei que aquele que duvida tem a mente dividida, é inconstante em seus caminhos e não receberá nada de ti (Tg 1.6-8). Sei que o que não vem da fé é pecado (Rm 14.23). Confesso qualquer dúvida que tenho como pecado diante de ti e peço-te que me perdoes. Não quero impedir tua obra em mim e por meu intermédio por causa da dúvida. Aumenta minha fé diariamente para que eu possa mover montanhas em teu nome.

– As promessas de Deus para mim –

Sem fé é impossível agradar a Deus. Quem deseja se aproximar de Deus deve crer que ele existe e que recompensa aqueles que o buscam.
HEBREUS 11.6

Tudo é possível para aquele que crê.
MARCOS 9.23

Se tivessem fé, ainda que do tamanho de uma semente de mostarda, poderiam dizer a este monte: "Mova-se daqui para lá", e ele se moveria. Nada seria impossível para vocês.
MATEUS 17.20

Portanto, uma vez que pela fé fomos declarados justos, temos paz com Deus por causa daquilo que Jesus Cristo, nosso Senhor, fez por nós.
ROMANOS 5.1

Portanto, alegrem-se com isso, ainda que agora, por algum tempo, vocês precisem suportar muitas provações. Elas mostrarão que sua fé é autêntica. Como o fogo prova e purifica o ouro, assim sua fé está sendo experimentada, e ela é muito mais preciosa que o simples ouro. Isso resultará em louvor, glória e honra no dia em que Jesus Cristo for revelado.
1PEDRO 1.6-7

28
Senhor, transforma-me na semelhança de Cristo

Há pouco tempo, ouvi um pastor falar sobre sua experiência como missionário na implantação de uma igreja em uma parte remota do mundo. Ele nos contou que, quando ele e sua esposa chegaram ao vilarejo onde começariam a nova igreja, ficaram chocados como as pessoas usavam poucas roupas. Era uma região quente e úmida, de modo que os homens e as mulheres usavam apenas pedaços de pano que cobriam a parte que vai da cintura à metade da coxa. As mulheres não cobriam os seios. A primeira coisa que o pastor e sua esposa fizeram foi instruir que as mulheres cobrissem a parte de cima do corpo. A fim de ajudá-las, o pastor pediu que se enviassem camisetas para o vilarejo.

Quando as camisetas chegaram, cada uma das mulheres recebeu a sua. Muito animadas com o que haviam recebido, elas ansiosamente levaram as camisetas para casa, prometendo que as vestiriam quando voltassem. No dia seguinte, quando todos se reuniram outra vez, o pastor e a esposa ficaram ainda mais chocados do que antes. As mulheres pegaram a camiseta e fizeram dois grandes buracos redondos na parte da frente, de modo que os seios ficassem para fora quando a vestissem.

Eu ri quando ouvi essa história e fiquei imaginando quantas vezes Deus nos dá algo para nos cobrirmos e nos colocarmos retas diante dele, e cortamos fora as partes que não queremos, de modo que nossa carne fique para fora.

Não é de admirar que não sejamos capazes de nos transformar. Nós nem mesmo entendemos em que nos devemos transformar e por quê. Somente Deus pode abrir nossos olhos para vermos essas coisas. É por isso que precisamos fazer a oração que diz: "Transforma-me, Senhor". Sei que é uma das orações mais assustadoras e difíceis de fazer. Preferiríamos muito mais orar pedindo "Transforma-*o*, Senhor" ou "Transforma-*a*, Senhor". Além disso, se dermos ao Senhor carta branca para fazer qualquer coisa que ele quiser em nós, só Deus sabe o que ele pode fazer.

No entanto, há uma forma de orar que vai nos transformar e não nos assusta. É pedir: "Faze-me mais parecida com Cristo". Quem não quer ter o caráter de Jesus? Quem não quer ser mais parecida com ele em todos os sentidos?

Sete boas maneiras de ser mais parecida com Cristo

1. *Jesus era amoroso.* Não apenas Jesus era amoroso, como seu amor foi além da compreensão. Jamais seremos capazes de carregar o pecado do mundo até a morte como ele fez, mas ele deseja que entreguemos nossa vida pelas pessoas de outras formas. "Sabemos o que é o amor porque Jesus deu sua vida por nós. Portanto, também devemos dar nossa vida por nossos irmãos" (1Jo 3.16). O amor de Deus pode realizar milagres em sua vida e na vida das pessoas que você toca. À medida que você compartilha esse amor, ele cresce e se multiplica dentro de você. "Por isso, agora eu lhes dou um

novo mandamento: Amem uns aos outros. Assim como eu os amei, vocês devem amar uns aos outros" (Jo 13.34). Peça que o amor de Deus seja revelado em você quando estender a mão para o mundo ao seu redor.

2. *Jesus era humilde.* Jesus era Senhor do universo, mas ainda assim "humilhou-se e foi obediente até a morte, e morte de cruz" (Fp 2.8). Até mesmo uma fração de sua humildade nos levaria muito longe neste mundo, pois aqui ela é muito rara. Além disso, precisamos dela, pois é alto o preço a pagar pelo orgulho. "Os orgulhosos são detestáveis para o SENHOR; certamente serão castigados" (Pv 16.5). "O orgulho precede a destruição; a arrogância precede a queda" (Pv 16.18). Nada chamará mais a atenção das pessoas ao nosso redor do que nossa própria humildade, pois será uma novidade que foge à regra. Ore para que Deus lhe dê um coração humilde.

3. *Jesus era fiel.* Jesus jamais vacilou em sua convicção e conhecimento de quem ele era e por que estava neste mundo. "Eu sou o caminho, a verdade e a vida. Ninguém pode vir ao Pai senão por mim" (Jo 14.6). Mesmo quando foi tentado por Satanás, Jesus jamais hesitou. Precisamos saber com essa mesma certeza quem *ele* é de fato, para que possamos saber quem *nós* somos. Então, não hesitaremos. Peça a Deus que fortaleça seu ser interior e a torne tão fiel quanto ele.

4. *Jesus dava de si.* Jesus deu de si para discipular alguns homens a fim de que muitas vidas fossem tocadas. Ele deu de seu poder para que muitos fossem curados, libertados e restaurados. "E uma vez que eu, seu Senhor e Mestre, lavei seus pés, vocês devem lavar os pés uns dos outros. Eu lhes dei um exemplo a ser seguido. Façam como eu fiz a vocês" (Jo 13.14-15). A maior de todas as suas dádivas foi sua vida. "Pois Cristo sofreu por vocês. Ele é seu exemplo; sigam seus

passos" (1Pe 2.21). Quando não sentimos que temos algo para oferecer, Deus nos supre de tudo. "Deus é capaz de lhes conceder todo tipo de bênçãos, para que, em todo tempo, vocês tenham tudo de que precisam, e muito mais ainda, para repartir com outros" (2Co 9.8). Ore para que Deus a encha das boas dádivas dele para você oferecer àqueles que ele colocar em sua vida.

5. *Jesus era separado do mundo.* Jesus estava *no* mundo, mas não era *parte* dele. Ele veio para *tocar* o mundo, mas jamais se tornou *semelhante* a ele. Ele era separado do mundo, mas ainda assim mudou o mundo ao seu redor. Devemos orar para também encontrar esse equilíbrio. Não podemos nos separar a ponto de não termos nenhum contato com o mundo exterior. Contudo, também não podemos parecer, viver, falar e agir de forma tão semelhante ao mundo, a ponto de as pessoas não verem nada de diferente em nós. Jesus jamais perdeu de vista o lugar para onde se dirigia. Ele sempre manteve a eternidade em sua perspectiva. Devemos fazer o mesmo. Ore para que você sempre se lembre de quem você é, o que foi chamada a fazer e onde está indo passar a eternidade.

6. *Jesus era obediente.* Uma das coisas mais admiráveis sobre Jesus foi o fato de, mesmo sendo Senhor, não fazer nada por conta própria. Ele orava e não agia até que recebesse instruções de Deus. Devemos viver dessa maneira também. "Quem afirma que permanece nele deve viver como ele viveu" (1Jo 2.6). Jesus foi obediente até a morte. Pode haver obediência maior do que essa? Ele fez o que tinha de fazer porque sabia que grandes coisas resultariam disso. Precisamos fazer o mesmo, mantendo "o olhar firme em Jesus, o líder e aperfeiçoador de nossa fé. Por causa da alegria que o esperava, ele suportou a cruz sem se importar com a vergonha. Agora ele está sentado no lugar de honra à direita do trono de Deus. Pensem em toda

a hostilidade que ele suportou dos pecadores; desse modo, vocês não ficarão cansados nem desanimados" (Hb 12.2-3). Peça a Deus que a ajude a morrer para si mesma a fim de que possa viver para ele.

7. *Jesus era luz.* As pessoas são atraídas pela luz. Queremos que elas sejam atraídas pela luz do Senhor em nós. Jesus disse: "Eu sou a luz do mundo. Se vocês me seguirem, não andarão no escuro, pois terão a luz da vida" (Jo 8.12). Não queremos andar no escuro. Queremos estar na luz como ele está na luz. Peça a Deus que a torne mais semelhante a Cristo, a fim de que em todo lugar que você estiver as pessoas a parem e lhe perguntem: "Qual é seu segredo?", "O que é essa coisa especial que você tem?", "O que devo fazer para chegar ao lugar em que você está?". E você poderá dar-lhes o motivo da luz que há dentro de você.

– Minha oração a Deus –

Senhor, quero ser transformada, e peço-te que essa transformação comece no dia de hoje. Sei que não posso mudar a mim mesma de qualquer forma significativa ou duradoura, mas tudo é possível pelo poder transformador de teu Santo Espírito. Concede-me, segundo a riqueza de tua glória, que eu seja fortalecida com poder mediante teu Espírito em meu ser interior (Ef 3.16). Transforma-me em tua semelhança. Sei que suprirás tudo de que preciso de acordo com tua riqueza em Cristo Jesus (Fp 4.19).

Ajuda-me a me separar do mundo sem ficar isolada ou dar as costas para ele. Mostra-me quando não estou sendo humilde e ajuda-me a resistir a qualquer tipo de orgulho. Que minha humildade seja um testemunho de teu Espírito em mim.

Que teu amor manifestado em mim seja testemunho de tua grandeza. Ensina-me a amar os outros como tu amas.

Enternece meu coração onde ele se tornou endurecido. Renova-me onde fiquei desgastada. Guia-me e instrui-me naquilo que me tornei incapaz de aprender. Faze-me mais fiel, mais pronta a doar e mais obediente como era Jesus. Ajuda-me a confiar em tua obra em minha vida naquilo que sou resistente a mudanças. Que tua luz brilhe em mim para que eu me torne uma luz para todos que me conhecem. Que não seja mais eu que viva, mas tu a viver em mim (Gl 2.20). Faze-me tão semelhante a Cristo a ponto de as pessoas desejarem conhecer-te melhor quando me virem.

‒ As promessas de Deus para mim ‒

Fui crucificado com Cristo; assim, já não sou eu quem vive, mas Cristo vive em mim. Portanto, vivo neste corpo terreno pela fé no Filho de Deus, que me amou e se entregou por mim.
GÁLATAS 2.20

Pois o seu Espírito confirma a nosso espírito que somos filhos de Deus. Se somos seus filhos, então somos seus herdeiros e, portanto, co-herdeiros com Cristo. Se de fato participamos de seu sofrimento, participaremos também de sua glória.
ROMANOS 8.16-17

Portanto, afastem-se e separem-se deles, diz o Senhor. Não toquem em coisas impuras, e eu os receberei. Eu serei seu Pai, e vocês serão meus filhos e minhas filhas, diz o Senhor Todo-poderoso.
2CORÍNTIOS 6.17-18

"Minha graça é tudo de que você precisa. Meu poder opera melhor na fraqueza." Portanto, agora fico feliz de me orgulhar de minhas fraquezas, para que o poder de Deus opere por meu intermédio.
2Coríntios 12.9

Posso todas as coisas por meio de Cristo, que me dá forças.
Filipenses 4.13

29
Senhor, lembra-me de que tudo o que mais necessito é de mais de ti

Nossa maior necessidade na vida é de mais do Senhor todos os dias. Abençoada é a pessoa que se dá conta disso e não se esquece. Infelizmente — ou felizmente, a depender de sua perspectiva — às vezes temos de passar por coisas desconfortáveis, dolorosas ou graves a fim de chegar plenamente a essa conclusão sem qualquer reserva. Isso significa que não apenas reconhecemos que nossa maior necessidade é o Senhor, mas já nem questionamos isso. Quando você chega a essa conclusão e a questão está resolvida, é maravilhosamente libertador. Pense em quanto é libertador não ter de tomar essa decisão todos os dias. Você já sabe a resposta. Você é totalmente dependente de Deus.

Nosso problema é que sempre tentamos escapar do máximo que podemos — dieta, tempo de oração, leitura da Palavra, cuidados com o corpo, certas responsabilidades e outras áreas de disciplina pessoal. Isto é, quanto chocolate eu comeria se não houvesse limites ou consequências? É algo assustador de considerar. Algumas de nós são mais disciplinadas em certas áreas do que outras, mas todas podemos sucumbir ao pensamento: "Até onde posso forçar os limites sem pagar um preço?".

Meu desejo é proteger você de ter de aprender algumas lições difíceis do jeito que eu tive de aprender. Fui derrubada tantas vezes — especialmente na área da saúde — que estou finalmente convencida de que não posso ignorar o que Deus já me ensinou. Nem posso pensar que estou bem e forte a ponto de relaxar e parar de fazer o que já aprendi que devo fazer. Tenho de escutar meu corpo, descansar quando estou exausta, comer corretamente sem recorrer a alimentos aos quais meu corpo não responde bem, parar de colocar os exercícios no fim de minha lista de prioridades por estar ocupada, e não esperar até que esteja sentindo dor para fazer a fisioterapia que os médicos me receitaram. Eu preciso depender de Deus para me ajudar a fazer a coisa *certa* e não aquilo que *sinto* vontade de fazer no momento. Minha necessidade de boa saúde está subordinada a Deus, porque sei que não posso confiar em mim mesma para fazer isso direito.

Com frequência eu peço a Deus que não me deixe esquecer da verdade que já aprendi. E uma coisa que aprendi — espero que completamente — é que não consigo fazer nada bem sem ele. Tem sido assim ao longo de toda a minha vida. Não posso viver um dia sem passar tempo com o Senhor e sem declarar minha total dependência dele. Estou completamente convencida de que o sucesso em cada aspecto da minha vida depende inteiramente de Deus. *Sem ele, eu estou arruinada. Com ele, posso todas as coisas por meio de Cristo, que me fortalece.*

É por isso que acredito que é bom para cada uma de nós pedir a Deus que não nos deixe esquecer que necessitamos mais que tudo de mais dele em nossa vida. A satisfação de nossos desejos mais profundos depende de sua capacitação. E Deus liberta a todas nós do pensamento de que não precisamos dele quando as coisas estão indo bem, porque, quando começamos a pensar assim, logo não estarão.

Se você é uma mulher solteira

Se você é solteira e tem orado repetidamente por um marido para amá-la para sempre e esse homem ainda não apareceu, não pense que Deus se esqueceu de você. Digo isso porque é algo que escuto muito. Continue a entregar todas as suas necessidades ao Senhor e diga a ele que confia *nele* para supri-las. Diga que reconhece que sua maior necessidade é de mais dele. Não deixe o desânimo a respeito de sua situação fazer com que você se conforme com algo menos do que Deus tem para você. Ao mesmo tempo, não torne seus requisitos tão estritos a ponto de ninguém jamais poder cumpri-los ou até mesmo querer tentar fazê-lo. Peça a Deus o que *ele* quer antes de dizer a ele o que *você* quer.

Busque a sabedoria e orientação do Espírito Santo, e confie que ele sabe o que (e quem) é melhor para você. Sirva a Deus ao permanecer no centro de sua vontade, fazendo o que ele lhe pediu e dando de si mesma ao reino dele. Quando somos obedientes em tudo o que Deus nos pede, as coisas ocorrem no lugar certo e na hora certa. E a questão do tempo e do lugar certo é extremamente importante. Faça de Deus a realização de seus maiores sonhos e necessidades, e ele ouvirá suas orações sobre os mais profundos anseios de seu coração. Não desista nem pare de orar, apenas continue a se aprofundar em sua caminhada com o Senhor.

Deus quer nos dar os desejos de nosso coração e prover para nossas necessidades, mas ele quer que primeiro reconheçamos que nossa maior necessidade é de mais dele. Uma coisa é *dizer* isso diante de Deus (o que é bom), mas outra é estar tão *convencida em seu coração* a ponto de nunca duvidar (o que é melhor). É melhor obter esse reconhecimento cedo do que tarde. Portanto, vamos todas pedir a Deus que nos lembre do quanto precisamos dele *antes* de termos alguma ideia maluca em nossa mente de que podemos viver sem ele mesmo que por um só momento.

– Minha oração a Deus –

Senhor, faze-me sempre consciente de que minha maior necessidade sempre será de mais de ti em minha vida. Não permitas que eu chegue ao ponto de imaginar que posso viver sem ti. Ajuda-me a reconhecer minha completa dependência de ti. Anseio por tua presença, paz, poder e amor perfeito. Quero caminhar tão intimamente de ti que possa ouvir teu Santo Espírito falando ao meu coração em todos os momentos.

Não deixes que eu me esqueça das coisas que me *ensinaste*, *estás* ensinando ou *irás* ensinar. Faze-me lembrar para que eu não tenha de continuar aprendendo as mesmas lições vez após vez. Não quero jamais tornar-me arrogante e pensar que as regras não se aplicam a mim. Não quero colocar-te à prova a fim de ver o quanto posso me safar, ou até onde consigo presumir tua graça. Eu sei que, se tu e tua lei não tivessem sido meu maior prazer, "eu teria morrido em meu sofrimento" (Sl 119.92). Quero sempre dizer que "jamais me esquecerei de tuas ordens, pois é por meio delas que me dás vida" (Sl 119.93). Quero tornar-me mais forte em *meu* espírito porque dependo de *teu* Espírito em mim para me guiar. Livra-me dos pensamentos errados. Faze que tua Palavra esteja em meu coração de tal modo que eu não cometa erros (Sl 37.31).

Senhor, eu submeto a ti as coisas que vejo como minhas necessidades importantes. Levanto a ti os anseios e desejos profundos em meu coração e reconheço que és a fonte e resposta de tudo de que eu preciso ou pelo que almejo em minha vida. Obrigada porque suprirás todos eles (Fp 4.19).

– As promessas de Deus para mim –

*Olho para os montes e pergunto: "De onde me virá socorro?".
Meu socorro vem do Senhor, que fez os céus e a terra!*
Salmos 121.1-2

E esse mesmo Deus que cuida de mim lhes suprirá todas as necessidades por meio das riquezas gloriosas que nos foram dadas em Cristo Jesus.
Filipenses 4.19

O Senhor está perto de todos que o invocam, sim, de todos que o invocam com sinceridade. Ele concede os desejos dos que o temem; ouve seus clamores e os livra.
Salmos 145.18-19

Não sejam como eles, pois seu Pai sabe exatamente do que vocês precisam antes mesmo de pedirem.
Mateus 6.8

Busque no Senhor a sua alegria, e ele lhe dará os desejos de seu coração.
Salmos 37.4

30
Senhor, retira-me de meu passado

Imagine que você está participando de uma corrida e está tentando chegar ao fim e ganhar o prêmio. No entanto, por mais que você se esforce, jamais consegue alcançar a linha de chegada, pois há um grande peso amarrado a uma de suas pernas. Você luta para puxá-la, mas ela a atrasa e a faz ficar tão cansada e exausta que se sente tentada a desistir de tudo. Não lhe passa pela cabeça que você não precisa carregar o peso. O peso faz parte de você há tanto tempo que nunca imaginou a vida sem ele. Contudo, você não pode terminar a corrida e garantir o prêmio que Deus tem para você até se livrar do peso.

Essa situação se aplica a muitas de nós. Estamos tentando participar da corrida da vida, mas estamos tendo dificuldade de ganhar velocidade. Isso porque estamos carregando conosco excesso de bagagem do passado e nem nos damos conta. Na verdade, arrastamos essa bagagem conosco há tanto tempo que a consideramos parte de nós. Alguns dias são tão difíceis que sentimos vontade de desistir e sair da corrida. Mas eu tenho uma boa notícia. Deus quer tirar esse fardo de você para que não precise carregá-lo outra vez.

Quer seja remoto, como o começo de sua infância, quer seja recente, como ontem, o passado pode impedi-la de alcançar tudo que Deus tem para você. É por isso que Deus deseja nos libertar do passado. E não é só isso, ele também quer redimir e restaurar algo que foi perdido ou destruído no passado e transformá-lo em algo importante em sua vida agora. A verdade é que você jamais alcançará o futuro que Deus tem para você se estiver sempre presa ao passado. Quando você aceitou a Jesus, tornou-se uma nova criatura. Ele fez *todas* as coisas novas em sua vida e deseja que você viva conforme essa novidade de vida.

Deus diz para nos esquecermos das coisas que ficaram para trás. Como esquecemos o que aconteceu conosco? Precisamos ter amnésia? Ser lobotomizadas? Viver em negação? Fazer de conta que o passado não aconteceu? Realizar uma "lipoaspiração" de parte de nosso cérebro? A resposta é não para todas as questões acima. Só precisamos orar para que Deus nos liberte do passado, a fim de podermos viver com sucesso no presente.

Um dos grandes mistérios do Senhor é a maneira como ele consegue não só curar, mas também usar para o bem as experiências e lembranças horríveis, trágicas, dolorosas, arrasadoras, embaraçosas e destrutivas de nosso passado. Ele não a tornará incapaz de relembrá-las, mas lhe trará cura de maneira tão completa dos efeitos dessas lembranças que você não pensará mais nelas com dor. Você gostará tanto da vida nova que ele lhe proverá, que não desejará voltar mentalmente para a antiga. Você ainda terá a lembrança, mas não terá mais a dor. Em vez disso, terá em seu coração louvores pela forma como Deus a restaurou integralmente. E terá o desejo de compartilhar sua experiência com outras pessoas, para que elas possam saber que esse tipo de libertação, restauração e cura também está à disposição delas.

Com o propósito do bem

A razão pela qual Deus não quer apagar completamente

o passado de sua memória é que ele deseja usar essa parte de sua vida no trabalho para o qual ele a chamou. Ele pode transformar a pior parte de seu passado em sua maior bênção no futuro. Ele vai tecer essa bênção na base do ministério criado para você, e a partir daí você transmitirá a vida do Senhor a outras pessoas.

É por isso que Deus deseja que você aprenda com seu passado e veja em primeira mão como ele pode redimi-lo. No entanto, ele não quer que você viva no passado. Ele deseja que você leia seu passado como um livro de história, mas não como uma profecia para seu futuro. Ele deseja que você se esqueça das coisas que ficaram para trás e avance para as que estão a sua frente (Fp 3.13).

Muitas pessoas jamais alcançam o futuro que Deus tem para elas, pois estão sempre presas ao passado. Um bom exemplo disso são as pessoas que experimentaram a rejeição no passado e ainda temem ser rejeitadas. Elas esperam ser rejeitadas, de modo que veem rejeição nas palavras e ações de outras pessoas. Isso faz com que estejam sempre magoadas, temerosas, iradas ou amarguradas e as torna hipersensíveis aos comentários de outras pessoas. Em outras palavras, o *medo* da rejeição *causa* justamente a rejeição que elas temiam. Torna-se um círculo vicioso.

Seja qual for o peso do passado que você está carregando, as outras pessoas o verão, mesmo que não saibam do que se trata. As coisas ruins que aconteceram conosco, ou as coisas boas que *não* aconteceram conosco, serão parte de nossa postura diária, e as pessoas poderão observar no todo, mesmo que não consigam lembrar-se dos detalhes específicos. No entanto, Deus a libertará de seu passado e o usará para a glória dele se você pedir que ele o faça.

Não olhe para trás

Uma vez fora do passado, é importante que você não fique se virando para trás para ver se ele não a está seguindo. Foi o que a esposa de Ló fez, e isso a paralisou. O mesmo acontecerá com você. Sem dúvida alguma esse procedimento fará você se atrasar na corrida. As boas corredoras olham adiante e concentram-se no objetivo.

Mesmo que jamais tenha acontecido algo de ruim em sua vida ou que você tenha sido completamente livrada de todas as suas memórias negativas, ainda assim precisará orar para ser libertada do passado. Isso porque até mesmo as coisas boas do passado podem impedi-la de permitir que Deus faça algo novo no presente. Se nos fixamos no que fizemos antes, podemos deixar passar aquilo que Deus quer que façamos agora. Deus está sempre querendo levá-la a um novo lugar em sua vida, e você o impedirá de fazê-lo se estiver se apegando à maneira como as coisas sempre foram feitas. Deus nunca deixará que nós nos acomodemos nos sucessos do passado. Se confiamos no modo que as coisas sempre foram feitas, deixamos de confiar nele. Essa é a questão.

Garanto que, não importa sua idade, Deus tem algo novo que deseja fazer em sua vida. Peça que ele lhe mostre o que é. Diga-lhe que você pretende continuar na corrida e não quer carregar qualquer bagagem do passado por toda a parte com você. Diga-lhe que você quer correr de modo a alcançar o prêmio (1Co 9.24).

– Minha oração a Deus –

Senhor, peço-te que me libertes do passado. Naquelas coisas em que me apeguei ao passado, peço que me libertes, cures e redimas. Escolho me apegar a ti. Ajuda-me a abrir mão de qualquer coisa que estou segurando de meu passado e que tem me impedido de alcançar tudo o que tu tens para mim. Capacita-me para que eu possa me despojar de todas as velhas maneiras de pensar, sentir e lembrar (Ef 4.22-24). Dá-me a mente de Cristo para que eu seja capaz de compreender quando estou sendo controlada pela lembrança de acontecimentos do passado.

Não quero me amarrar ao passado ao deixar de perdoar qualquer pessoa ou acontecimento associado a ele. Ajuda-me a perdoar o que precisa ser perdoado. Peço-te especificamente que me libertes de (*cite qualquer lembrança ruim ou dolorosa que você tenha*). Entrego a ti meu passado e todos que estão ligados a ele para que possas restaurar o que foi perdido. Entrego a ti tudo o que me foi feito ou que eu fiz e que me causa dor. Que isso não me atormente mais nem afete quem eu sou no presente. Alegra-me por tantos dias quantos fui afligida (Sl 90.15). Obrigada por fazeres novas todas as coisas e estares me fazendo nova a cada dia (Ap 21.5).

Ajuda-me a manter os olhos adiante e não nos dias que já se foram e nas maneiras antigas de fazer as coisas. Sei que desejas fazer algo novo em minha vida no dia de hoje. Ajuda-me a concentrar-me no lugar aonde me dirijo agora e não onde já estive. Liberta-me do passado para que eu possa sair dele e entrar no futuro que tu tens para mim.

– As promessas de Deus para mim –

Logo, todo aquele que está em Cristo se tornou nova criação.
A velha vida acabou, e uma nova vida teve início!
2Coríntios 5.17

Esqueçam tudo isso, não é nada comparado ao que vou fazer. Pois estou prestes a realizar algo novo. Vejam, já comecei! Não percebem? Abrirei um caminho no meio do deserto, farei rios na terra seca.
Isaías 43.18-19

Concentro todos os meus esforços nisto: esquecendo-me do passado e olhando para o que está adiante, prossigo para o final da corrida, a fim de receber o prêmio celestial para o qual Deus nos chama em Cristo Jesus.
Filipenses 3.13-14

Olhe sempre para a frente; mantenha os olhos fixos no que está diante de você. Estabeleça um caminho reto para seus pés; permaneça na estrada segura. Não se desvie nem para a direita nem para a esquerda; não permita que seus pés sigam o mal.
Provérbios 4.25-27

Ele lhes enxugará dos olhos toda lágrima, e não haverá mais morte, nem tristeza, nem choro, nem dor. Todas essas coisas passaram para sempre.
Apocalipse 21.4

31
Senhor, guia-me para o futuro que tu tens para mim

Estou escrevendo este último capítulo como uma carta para você, minha querida irmã em Cristo, de modo que, se ficar ansiosa com o futuro ou precisar de ânimo para o que está adiante, possa lê-la e, cheia de esperança, ouvir Deus falar a seu coração. Isso porque, na verdade, esta é a mensagem dele para todas nós.

Querida _____ (*complete com seu nome*),
Estou lhe escrevendo para lembrá-la do grande futuro que Deus tem para você. Sei disso, pois foi ele quem disse. Ele disse que você não viu, não ouviu e nem mesmo imaginou o que ele tem preparado para você (1Co 2.9). Você não faz ideia de como seu futuro é maravilhoso. Aquilo que ele tem para você é tão grande que, se de fato o compreendesse, você sentiria que "nosso sofrimento de agora não é nada comparado com a glória que ele nos revelará mais tarde" (Rm 8.18). Isso significa que qualquer coisa que você imagine para sua vida neste instante já é pequena demais.

Apesar de Deus lhe prometer um futuro cheio de esperança e bênção, ele não acontecerá automaticamente. Há algumas coisas que *você* precisa fazer. Uma delas é orar sobre o futuro (Jr 29.11-13), e a outra é obedecer a Deus. Mas não se preocupe, Deus a ajudará com essas duas coisas se você pedir a ele. O Espírito Santo de Deus lhe garante que a ajudará a fazer o que for preciso para que tudo o que Deus prometeu se realize (Ef 1.13-14). Saiba que você, cada vez que ora e obedece, está investindo em seu futuro.

Apesar de vivermos em um mundo onde tudo em nossa vida pode mudar num instante e de não termos certeza do que nos reserva o amanhã, Deus nunca muda. Talvez você já tenha perdido sua falsa sensação de segurança, o que é bom, pois Deus quer que você saiba que sua única segurança *real* encontra-se nele. Apesar de você não saber os detalhes específicos do que está adiante, pode confiar que Deus sabe. E ele a levará em segurança para onde você precisa ir. Na verdade, a maneira para chegar ao futuro que Deus tem para você é andar com ele hoje.

Lembre-se, minha preciosa irmã no Senhor, que caminhar com Deus não significa que não haverá obstáculos. Satanás cuidará para que isso aconteça. Enquanto Deus tem um plano para seu futuro que é bom, o diabo também tem um plano, que não é bom. No entanto, o plano do diabo para sua vida não dará certo, desde que você caminhe com Deus, viva em obediência nos caminhos dele, adore-o, mantenha-se firme na Palavra dele e ore sem cessar. Todavia, o plano de Deus para sua vida não se concretizará sem lutas; portanto, não desista quando as coisas ficarem difíceis. Simplesmente continue fazendo o que é certo e resista à tentação de desistir. Peça a Deus que lhe dê as forças e a resistência necessárias para fazer o que é preciso.

Não julgue seu futuro por aquilo que você lê nos jornais ou pelas palavras que alguém lhe disse alguma vez. Seu futuro está nas mãos de *Deus*. A única coisa importante é o que *ele* tem a dizer sobre isso. De qualquer modo, ele não quer que você se preocupe com seu futuro. Ele deseja que você pense *nele*, pois *ele* é seu futuro.

Lembre-se de que você é uma filha de Deus, e ele a ama. Ao *caminhar* com ele você se tornará mais parecida com ele a cada dia (1Jo 3.1-3). Ao *olhar* para ele, você será transformada "gradativamente à sua imagem gloriosa", ficando cada vez mais parecida com ele (2Co 3.18). Ao *viver* com ele, Deus a levará de força em força. Assim, "ainda que nosso exterior esteja morrendo, nosso interior está sendo renovado a cada dia" (2Co 4.16).

Não desanime se as coisas não acontecerem tão rapidamente quanto você gostaria. É assim mesmo. Deus deseja que você aprenda a ter paciência. Nossa perspectiva é temporal; a dele, eterna. Portanto, não se preocupe se você não estiver vendo tudo o que gostaria em resposta a suas orações. Você verá. Se você se achegar a Deus e fizer o que ele pede, se você o adorar em Espírito e em verdade, se amar os outros e se doar por eles, se proferir a Palavra de Deus com fé e orar, você verá as bênçãos de Deus sendo derramadas sobre sua vida.

Creio que certas coisas nos são negadas durante algum tempo, pois Deus deseja que oremos fervorosamente e intercedamos por elas. Isso porque ele deseja realizar algo maravilhoso em resposta às nossas orações, e isso *só* pode nascer em oração. Você se lembra como Ana orou fervorosamente pedindo um filho (1Sm 1.1-28)? Quando Deus finalmente respondeu a sua oração, não foi uma criança qualquer que nasceu. Samuel foi um dos maiores profetas do mundo e um dos juízes mais influentes da história de

Israel. Se ela não tivesse orado com fervor, talvez isso não tivesse acontecido. Pode ser que certas coisas não aconteçam em sua vida, a menos que você também esteja orando há tanto tempo e com tanto fervor.

Se você começar a ser consumida pelos detalhes de sua vida e se parecer que seu futuro não será diferente do que é agora, por favor, saiba que é bem o contrário. É exatamente nesses momentos, quando você sente como se não estivesse indo a lugar algum ou como se estivesse deixando passar o futuro que Deus tem para você, que Deus na verdade a está *preparando* para o futuro. E, quando for o tempo certo, é sabido que ele pode trabalhar com muita rapidez. Apesar de ser bom estabelecer objetivos, não olhe tão à frente de modo a sentir que é demais para você. Em vez disso, olhe para o Senhor. Lembre-se de que "o Senhor está perto de todos que o invocam, sim, de todos que o invocam com sinceridade. Ele concede os desejos dos que o temem; ouve seus clamores e os livra" (Sl 145.18-19).

Um dia você estará com Deus no céu. E ele enxugará toda lágrima de seus olhos, "e não haverá mais morte, nem tristeza, nem choro, nem dor. Todas essas coisas passaram para sempre" (Ap 21.4). Você quer ser capaz de chegar ao fim da vida e dizer: "Lutei o bom combate, terminei a corrida e permaneci fiel. Agora o prêmio me espera, a coroa de justiça que o Senhor, o justo Juiz, me dará no dia de sua volta. E o prêmio não será só para mim, mas para todos que, com grande expectativa, aguardam a sua vinda" (2Tm 4.7-8). Jesus disse: "Não deixem que seu coração fique aflito. Creiam em Deus; creiam também em mim. Na casa de meu Pai há muitas moradas. Se não fosse assim, eu lhes teria dito. Vou preparar lugar para vocês e, quando tudo estiver pronto, virei buscá-los, para que estejam sempre comigo, onde eu estiver. Vocês conhecem o caminho para onde vou" (Jo 14.1-3). Ele promete isso porque você o ama, e seu futuro eterno no céu com ele está garantido.

Enquanto isso, sei que você quer fazer algo de significativo pelo Senhor e encontrar novas áreas para servi-lo. Deus está procurando mulheres que se comprometam a viver de acordo com a vontade dele, dentro dos propósitos que ele tem para a vida delas. Ele quer uma mulher que esteja disposta a se sacrificar pelo reino dele, que esteja disposta a dizer: "Seja feita a tua vontade, e não a minha". Você é uma dessas mulheres. Peço a Deus que você esteja preparada e pronta quando ele disser: "Chegou a hora", e as portas da oportunidade se abrirem. Continue fazendo o que é certo e, quando você menos esperar, Deus a chamará para lhe dar sua missão.

Lembre-se de que Deus, "por seu grandioso poder que atua em nós, é capaz de realizar infinitamente mais do que poderíamos pedir ou imaginar" (Ef 3.20). Ele tem muito mais para você do que você pode imaginar. Que Deus, a fonte de esperança, a encha inteiramente de alegria e paz, em vista da fé que você deposita nele, de modo que você transborde "de esperança, pelo poder do Espírito Santo" (Rm 15.13). Mantenha toda a sua atenção em Deus, e ele a guardará em perfeita paz ao conduzi-la ao futuro que ele tem para você.

Sua irmã em Cristo,
Stormie Omartian

– Minha oração a Deus –

Senhor, coloco meu futuro em tuas mãos e peço-te que me dês absoluta paz quanto a ele. Não quero tentar garantir meu futuro com meus próprios planos. Quero estar exatamente dentro de teus planos, sabendo que tu me deste tudo de que preciso para o que se encontra pela frente. Peço que me dês forças para perseverar sem desistir. Tu disseste que "quem perseverar até o fim será salvo" (Mt 10.22). Ajuda-me a participar da corrida de modo a terminar com forças e receber o prêmio que tens para mim (1Co 9.24). Ajuda-me a estar sempre vigilante em minhas orações, pois não sei quando será o fim de minha vida (1Pe 4.7).

Sei que teus pensamentos a meu respeito são de paz, para me dar futuro e esperança (Jr 29.11). Sei que tu me salvaste e me chamaste com uma santa vocação, não de acordo com minhas obras, mas conforme tua própria determinação e graça (2Tm 1.9). Obrigada, Espírito Santo, por estares sempre comigo e me guiares pelo caminho para que eu não me perca.

Conduze-me para um ministério poderoso que terá impacto sobre a vida de outras pessoas para teu reino e tua glória. Humilho-me sob tua poderosa mão, ó Deus, sabendo que me exaltarás em tempo oportuno. Lanço sobre ti toda a minha ansiedade, sabendo que tu cuidas de mim e não me deixarás cair (1Pe 5.6-7). Estendo minha mão para tocar a tua no dia de hoje, a fim de que eu possa caminhar contigo rumo ao futuro que tens para mim.

– As promessas de Deus para mim –

"Porque eu sei os planos que tenho para vocês", diz o SENHOR. "São planos de bem, e não de mal, para lhes dar o futuro pelo qual anseiam. Naqueles dias, quando vocês clamarem por mim em oração, eu os ouvirei. Se me buscarem de todo o coração, me encontrarão."
JEREMIAS 29.11-13

Pois estão plantados na casa do SENHOR; florescerão nos pátios de nosso Deus. Mesmo na velhice produzirão frutos; continuarão verdejantes e cheios de vida. Anunciarão: "O SENHOR é justo! Ele é minha rocha; nele não há injustiça".
SALMOS 92.13-15

E estou convencido de que nem morte nem vida, nem anjos nem demônios, nem o que existe hoje nem o que virá no futuro, nem poderes, nem altura nem profundidade, nada, em toda a criação, jamais poderá nos separar do amor de Deus revelado em Cristo Jesus, nosso Senhor.
ROMANOS 8.38-39

O caminho dos justos é como a primeira luz do amanhecer, que brilha cada vez mais até o dia pleno clarear.
PROVÉRBIOS 4.18

Levante-se, Jerusalém! Que sua luz brilhe para que todos a vejam, pois sobre você se levanta e reluz a glória do SENHOR. Trevas escuras como a noite cobrem as nações da terra, mas sobre você se levanta e se manifesta a glória do SENHOR.
ISAÍAS 60.1-2

Compartilhe suas impressões de leitura,
mencionando o título da obra, pelo e-mail
opiniao-do-leitor@mundocristao.com.br
ou por nossas redes sociais

Esta obra foi composta com tipografia Adobe Caslon Pro
e impressa em papel Pólen Natural 70 g/m² na gráfica Assahi